JN122397

東北大学教養教育院叢書
大学と教養 6

転換点を生きる

東北大学教養教育院＝編

東北大学出版会

Artes Liberales et Universitas

6 Live the tipping point

Institute of Liberal Arts and Sciences Tohoku University

Tohoku University Press, Sendai
ISBN978-4-86163-384-3

はじめに

あとになって振り返ると、2022年という年は社会の大きな転換点となったと位置付けることができるかもしれません。北京冬季オリンピックという平和の祭典の直後に起きた、ロシアによるウクライナへの軍事侵攻は、長く続くコロナ禍で疲弊した国際社会にとって大きな衝撃をもたらしました。紛争の規模は想定を超えて拡大し、国際社会は打つ手のないまま、いたずらに長期化を招いてしまいました。第2次世界大戦後の平和への希求から誕生した国際連合や、1990年代の冷戦終結後の新秩序というものが、その機能を果たせないままに日々の出来事を傍観せざるを得ない状況を見るに、忸怩たる思いを抱えた人も多いことでしょう。

「歴史は繰り返す」とはよくいわれることですが、特に80年周期説を耳にする方も多いでしょう。今から80年前、世界は大戦の真っ只中でした。世界中の国々を巻き込んだ7年間にわたる大戦を経て、新たな平和の秩序づくりとして国際連合が結成されました。その後も地域レベルでの紛争は絶えなかったものの、世界は全体としては平和な時代を迎え、成長と繁栄を謳歌したように思います。国際社会で議論される中身も、国際的な紛争の解決から、冷戦終結後はSDGs（持続可能な開発目標）のような地球規模での人類の課題へと変わっていきました。

21世紀を迎えた頃から、世界の情勢も成長と繁栄から少しずつ変化してきたと感じていたところですが、特にここ10年ほどの動きは衝撃的でした。宗教やイデオロギーの対立、富の偏在と貧困の拡大、膨れ上がる難民問題、等々、それまでの気候変動や食料・エネルギー問題等とは視点の異なる新たなグローバル・イシューが顕在化してきたと捉えることができるでしょうか。世界では保護主義的な風潮が蔓延し、これまでの国際協調の下での自己犠牲の受容を潔しとせず、自国の利益が最大限となる方向を皆が向き始めたように感じます。社会全体が寛容さを失いつつあると思ったのは杞憂ではありませんでした。

今一度、日本の昭和初期にあたる80～100年前頃の世界情勢を振り返ってみます。世界恐慌ともいわれた深刻な経済危機の中で、次第にナショナリズムが台頭し、やがて破局的な戦争へと向かった時代でした。結局は、当時の社会がゆとりを失った中で、包容力、寛容さというものを忘れ、自己利益の追求へと突き進んでしまったのだと思います。ここ10年ほどの現代社会の情勢は、まさに当時の焼き直しのようです。歴史は繰り返すのだとすると、その後に起こるであろう成長と繁栄の平和社会への転換を待ち望むばかりです。

さてこの度、東北大学教養教育院叢書「大学と教養」シリーズの第6巻として、「転換点を生きる」を刊行することとなりました。本書は東北大学で平成30年度に実施された教養教育院合同講義「転換点を生きる」と、令和3年度教養教育特別セミナー「パンデミックの時代を生きる」の内容を踏まえ、教養教育院総長特命教授を中心に編纂、執筆いただいたものです。東日本大震災や新型コロナウイルス感染症によるパンデミックの到来、さらには気候変動などの人類社会の持続可能性を脅かす課題の顕在化や国際紛争の激化など、これまで平和と安定を享受してきた私たちにとって、現代は社会の大きな転換点にあるといえます。この時代を力強く生きていくためには何が必要なのか、執筆者たちがそれぞれの視点で論考を深めています。「転換」にはさまざまなスケールがありますが、本書では社会の転換、時代の転換、学術研究の転換から、人生の転機に至るまで、多方面から転換点をクローズアップし、この先、どのようにして道を切り拓いていくかを自答するための契機となることが期待されます。

最後にもう一度、歴史を振り返ってみましょう。世界恐慌から大戦へと歩んだ昭和初期の時代は、学術研究が大きく花開いた時期でもありました。サイエンスの分野では、量子力学の登場と成熟によって現代物理学の根幹が整い、後のエレクトロニクス産業創生に関わる固体物性論の基礎や、化学結合論などが次々と確立されていきました。当時の学界は、まさに国境の無い、科学者の楽園として自由な議論につつまれていたことでしょう。破局的な社会へと向かう動きの裏側に、このような営みがあったからこそ、大戦後の成長と繁栄を築くことができたのです。学問の世界には大きな包容力と寛容な心が大切です。学問の世界には国境は無いとよくいわれますが、多様性を理解し、冒険を認め、失敗を許し、さらなる挑戦を応援するからこそ新しい創造が生まれるのです。

社会の転換点を迎えた今、あらためて学問の果たす役割を考えていきたいと思います。

東北大学教養教育院
院長　滝澤博胤

目　次

第六章　20世紀から21世紀への転換点と新興感染症のリスク

押谷　仁

第七章　女性の高等教育と無意識のバイアス払拭が次世代の幸福の鍵になる

大隅　典子

第八章　人類の過去のいくつもの転換点の考察 〜現在と未来のrevolutionsのために〜

芳賀　満

第一部

第一章　転換の駆動力

滝澤　博胤

はじめに

転機というものは一生のうちに何度か訪れるものなのでしょうが、「今になって思えば…」というように、後から振り返って「転換点（turning point)」を認識することが多いようです。上り勾配から下り勾配に変わるように、気がつけば方向（ベクトル）が変わっていたというものが転換だということでしょうか。確かに、人生の転機や社会の転換点などというと、ある１点を境としてドラスティックに前後の状態が大きく変わるようなイメージをもちますが、「山を越える」「殻を破る」というように、多くの場合、転換とは、障壁を乗り越えて辿り着くというドラマティックなものだと思います。「山を越える」というからには、そこには駆動力（driving force）が必要です。山が低ければ小さな駆動力で済みますが、山が高く急峻であれば、乗り越えるには大きな駆動力が必要となります。そもそも山を乗り越えようとする動機づけ（motivation）は何なのか、また、山を低くすることはできるのか等、転換の駆動力を考える上で議論すべきことがたくさんあるように思えます。

私たちは、これまでさまざまな転機や転換を経験してきました。もちろん自分自身の体験という場合もあるし、あるいは政策や社会構造の転換のような、より大きなスケールのこともあります。そのいずれもが、程度の差はあれ「山を越える」ことによって達成された（あるいは引き起こされた）転換であるとして、本章ではその駆動力が何なのかについて考察していきます。

第一節　自然界の法則で考えると

転換や転機に相当する言葉は、物理や化学の世界にもいくつかあります。conversion（変換、転換、転化率）、transformation（変態、転換、転移）、transition（転移、遷移）などですが、いずれも物質がある状態から別の状態に変化する事象をあらわします。これらの用語は一般に、何かを起点としたドラスティックな状態変化に用いられることが多く、時間や環境の変化に伴う緩やかな状態変化にはあまり用いられません。それでは、この自然科学の世界における転換はどのようにして起こるのでしょうか。

図１を眺めてみましょう。この図は、異なる２つの状態A、Bの相対的な自由エネルギーの大きさを示しています。自由エネルギーとは熱力学における状態量の１つですが、物質のもつ内部的なエネルギーの一種で、自発的な変化が起こる方向の指標となるものです。自然科学の基本法則である熱力学の世界の言葉を使えば、自由エネルギーが最小となるのが安定な状態であって、物質の状態変化は、自由エネルギーが最小となる方向に進むと理解されています。わかりやすく図１の曲線が山と谷を示していると考えると、山の頂上や斜面に置かれたボールは不安定ですが、谷底に位置するボールは安定で動きません。頂上や斜面にあるボールは谷に向かって転がり落ち、やがて谷底に落ち着くことになります。自然界における状態変化とはこのようなものです。ところで、図１には自由エネルギーが極小となる２つの谷が描かれています。この場合、２つの極小値はともにボールが安定に存在できる状態であって、ボールが転がる出発点の位置によっては状態Aに落ち着くものもあるし、状態Bとなるものもあります。状態Bの方が自由エネルギーが小さいので（最小）、本来、状態Aよりも状態Bの方が安定であるのはいうまでもありません。しかしながら、斜面とボールの比喩でわかるように、状態Aも１つの落ち着いた状態であり、これを自然科学の世界では準安定（metastable）とよんでいます。

ここで、山頂や斜面に置かれたボールが谷底に向かって転がる様子自

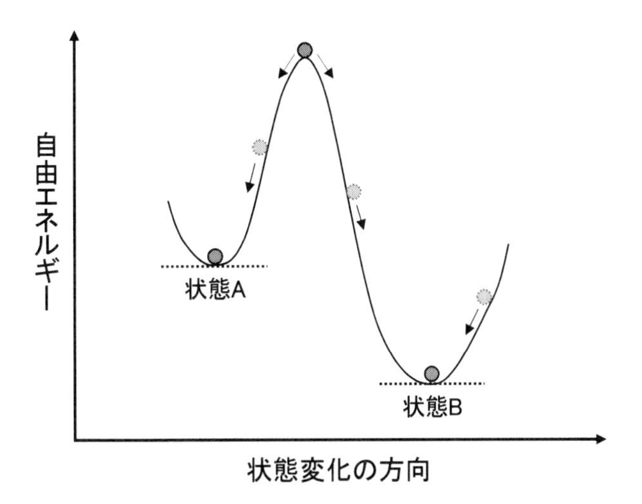

図１　状態変化と自由エネルギーの関係

体は「転換」とはいいません。状態Ａから状態Ｂへと変化する様子が「転換」なのです。上述のように、状態Ｂの方が自由エネルギー最小の状態なので、状態Ａから状態Ｂへの変化が起こるのが自然の方向です。しかし、何もせずにだまっていてはこの変化は容易には起こりません。状態Ａから状態Ｂへの変化が起こるためには、一度、山の斜面を上らないといけません。２つの状態の間には険しい山が存在するのです。この山を乗り越えて起こるのが「転換」であって、そのためには何らかの駆動力が必要となります。

状態Ａから状態Ｂへの変化をもう少し考えてみましょう。図２は状態Ａから状態Ｂへの変化をあらためて描いたものです。図中には活性化エネルギー（activation energy）という言葉が登場します。状態Ａから状態Ｂへの変化が化学反応だとすると、状態Ａ（反応物）と状態Ｂ（生成物）の間のエネルギー差は反応熱（heat of reaction）であって、化学反応に伴って放出（あるいは吸収）される熱になります。他方、状態Ａから状態Ｂへの遷移状態に至るのに必要なエネルギー（山の頂上に上るのに必要

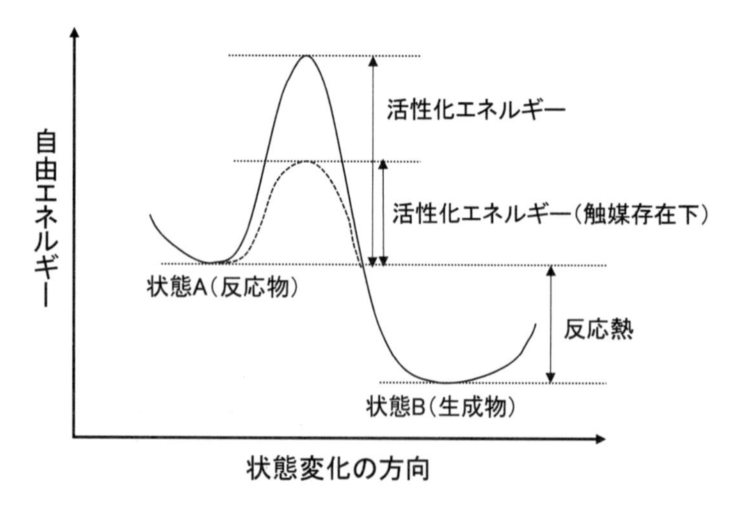

図２　化学反応進行への触媒の効果

なエネルギー）が活性化エネルギーです。この山が低ければ状態変化である化学反応は起こりやすく、他方で、山が高ければ化学反応を引き起こすには活性化エネルギーに相当する大きな駆動力が必要となります。ここにしばしば登場するのが触媒（catalyst）です。触媒は反応物に作用して反応過程の活性化状態を変化させ、活性化エネルギーを低下（山を低く）させる役割を果たし、化学反応を起こりやすくします。触媒がうまく作用すれば、状態変化の山を越えるための駆動力は小さくて済むことになります。

人生や世の中の出来事も同じなのでしょう。「ハードルが高い」とか「高い壁が立ちはだかる」などというように、現状を打破して新境地に至るには大きな障壁があるのが普通です。それを乗り越える駆動力を得たときに、「転換」が起こるのです。もちろん、正面突破することもあるでしょうけれど、多くの場合は障壁を下げるべく触媒作用が働くようです。岐路に立つ場面がきたときに、周囲からのサポートや環境などの外的要因が触媒の役目を果たしてくれるのです。

第二節　「転換」のあれこれ

それでは転換の駆動力とは実際にどのようなものなのでしょうか。前節で述べた化学反応などの物質の状態変化では、活性化エネルギーの山を乗り越える駆動力の多くは、熱や光などのエネルギーです。熱も光もエネルギーの1つの形態ですから、山を越える駆動力として理解しやすいでしょう。他方、社会の変革や人生の転機においては何が駆動力となっているのでしょうか。本節では、いくつかの「転換」事例を眺めながら、その駆動力について考えることにしましょう。

2.1　エネルギー政策の転換

ここでいう「エネルギー」とは、前節で議論した自由エネルギーや活性化エネルギーとはスケールが異なり、産業活動や社会生活の原動力となるもののことです。図3はわが国における発電電力量の電源別の推移を示したもので[1)]、2011年の東日本大震災での福島第一原子力発電所事故を契機として大きな転換が起こったことが示されています。グラフから顕著にわかるように、原子力から石油、石炭、天然ガスといった化石燃料資源への転換が突如として起こりました。また、2015年以降では新エネルギー（あるいは再生可能エネルギー）[2)]の比重の増加とともに、化石燃料資源への依存割合が減少に転じていることがわかります。これは2015年に相次いだ、国連総会における「持続可能な開発のための2030アジェンダ」、ならびに気候変動問題に関する多国間枠組みとしての京都議定書の後継となるパリ協定の採択が大いに影響しています。原子力への懸念、温室効果ガスの排出による持続可能性への懸念が即座に反映されたものと理解できます。

もちろん、原発事故や温室効果ガスの削減目標の設定などはエネルギー政策転換の契機ではありますが、それ自体は駆動力ではありません。ここでの転換の駆動力は、安全安心や持続可能性を求める社会全体の意識であって、大勢が同じベクトルを向くことによって転換への潮流となったと考えます。再生可能エネルギーへの転換では技術革新による

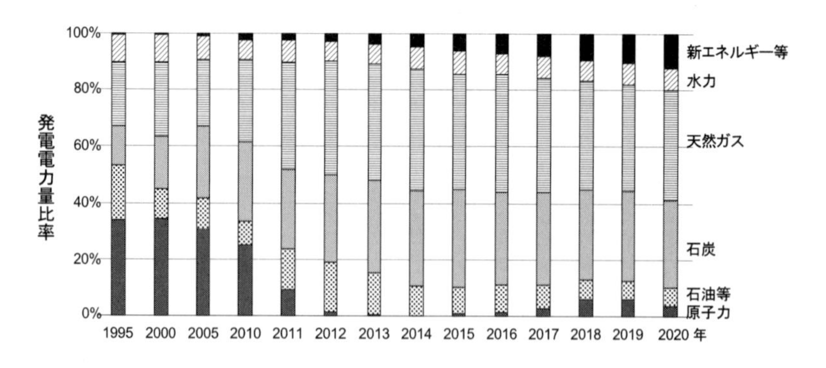

図３　日本における電源別発電電力量比率の推移

ところも小さくありません。技術革新は転換の障壁（活性化エネルギーの山）を低くする触媒の役割を果たします。

もう一点、エネルギー政策において考えておきたいことがあります。2022年のロシアによるウクライナ侵攻は、世界規模でのエネルギー供給不安を増大させ、原子力回帰への動きを高めることとなりました。そうだとすると、まだ私たちはエネルギー問題に対する最も安定な状態（図１の状態B）を見いだせておらず、準安定な別なひとつの極小値（状態A）に再び向かうのかもしれません。安全安心で持続可能性をもった最適解を見つけるには、まだまだ時間と議論が必要ですが、少なくとも最適解に至る山を低くするための技術開発は必須なのです。

2.2　社会の転換

もう少し時間スケールを大きくとって、人類社会の転換の歴史を眺めてみましょう。わが国の第5期科学技術基本計画の中で「ソサエティ5.0」という言葉が登場したのは2016年のことです[3)]。狩猟社会（Society1.0）から農耕社会（Society2.0）、工業社会（Society3.0）、情報社会（Society4.0）を経て、これから第5の社会へと転換していくという意図で提唱されたものです。狩猟社会から農耕社会への転換は農業革命、つづく工業社会への転換は産業革命、そして情報社会への転換は情報革命によってもたらされました。ご承知のように、産業革命では蒸気機関の発明による新たな動力源の登場が、そして情報革命ではIT技術の進歩とインターネットの普及が契機となり、それをもとに新たな未来像が描かれ、グローバル社会全体がその方向に向かっていきました。生産性の向上や新たな価値の創造へという、誰もが同じベクトルに向かうことによって大きな潮流が生まれたことが駆動力となったといえます。そのうえで、次々と起きた科学技術の進歩は、やはり極小値に至る山を低くする役割を果たしたといえるでしょう。

さて、それでは次に来るべきソサエティ（Society 5.0）はどのような社会でしょうか。人工知能（AI）とモノのインターネット（IoT: Internet of Things）の融合するスマート社会といわれていますが、その社会が登場するのはもう少し先のことのように思います。再び図1で考えると、今まで4つのソサエティ（それぞれはエネルギーが極小値となる準安定状態）を経てきたとすると、次に向かうのはさらにエネルギーの小さな極小値となるはずです。狩猟社会や農耕社会、工業社会、情報社会よりもさらに安定な社会がどこにあるのか、その答えを見つけるのは簡単ではありません。人工知能は産業構造を変革し、働き方にも大きな変容をもたらすといわれています。現在営まれている多くの生産活動から人類を放逐してしまう可能性もあります。2050年の世界人口は97億人に達するとも予測されていますが[4)]、この新しい社会では人類は何を生業としているでしょうか。これまで、同じベクトルに向かう大勢の動きが転換の駆動力だと述べてきましたが、目指すべき最適解（エネルギーの極小値）が見えていないと、大きな駆動力は生まれてきません。一方で、今の状態（1つの谷、極小値）から次の谷への山が低ければ、目指す谷の様子も見えてくることでしょう。科学技術への投資の必要性が叫ばれるのは、このような理由もあるのだと私は思っています。

ところで、農業革命や産業革命は現代に暮らす私たちにとっては歴史の教科書で学ぶことでしたが、情報革命が起こったのは比較的最近のことであって、工業社会から情報社会への転換を身をもって体験してきた方々も多いでしょう。私は1980年代に学生生活を送りましたが、インターネットもスマートフォンも無かった当時の生活は、情報に囲まれた現代社会からすると隔世の感があります。この間を過ごしてきた時代を思い返し、工業社会から情報社会への転換の様子を振り返ってみます。情報社会への転換の契機となったのは1990年代の情報技術（IT）革命ですが、情報通信技術の進歩が世界的規模でライフスタイルを変革していく様子は、1990年代以降のグローバルな経済動向から回顧することができます。

表1に企業の株式時価総額の年代別世界ランキングの推移[5)]を示します。IT革命の前夜である1990年のランキングでは、上位には金融、石油、製造業がならびます。ここには日本企業がたくさん登場しますが、そのほとんどは金融業です。豊かなモノの時代を背景に富が築かれていた時代でした。では、その10年後はどうなったでしょうか。2000年になるとランキングの上位から日本企業が脱落し、米国企業がほぼ独占するようになります。業態としては石油、製造業に加え、製薬、IT企業が登場してきました。さらに10年経った2010年のランキングでは中国企業が台頭し、また、アップルやマイクロソフトといったIT企業の存在感が高まってきた様子がわかります。そして現代のランキングを見ると、GAFA（Google・Apple・Facebook・Amazonの総称）とよばれる米国巨大IT企業が上位を席巻しています。1990年代半ばからのインターネットの普及、2000年代に入ってのスマートフォンの普及が新たなライフスタイルを創出し、現代の情報社会が築かれていることがわかります。製造業が支えたモノの時代が終焉し、情報の時代へと転換した様子をグローバルなスケールで窺い知ることができます。電子計算機や情報通信技術のブレイクスルーが人類に新たな未来像を提供し、新しいビジネスチャンスを捉えた人達の前進と、そこに向けた投資の増大が大きな潮流となり、山を乗り越える駆動力となったのでしょう。

ちなみに、この間の国内の状況を同じモノサシを使って眺めてみると

表１　企業の株式時価総額の世界ランキングの推移

	1990	2000	2010	2022
1	NTT	GE	エクソン	アップル
2	日本興業銀行	シスコ	中国石油天然気	マイクロソフト
3	住友銀行	エクソン	アップル	サウジアラムコ
4	富士銀行	ファイザー	BHB ビリトン	アルファベット
5	第一勧業銀行	マイクロソフト	マイクロソフト	アマゾン
6	IBM	ウォルマート	中国工商銀行	テスラ
7	三菱銀行	シティーG	ペトロブラス	メタ
8	エクソン	ボーダフォン	中国建設銀行	バークシャー・ハサウェイ
9	東京電力	インテル	シェル	エヌビディア
10	シェル	シェル	ネスレ	台湾積体電路製造
11	トヨタ	AIG	中国移動通信	テンセント
12	GE	ノキア	バークシャー・ハサウェイ	JP モルガン
13	三和銀行	メルク	GE	VISA
14	野村証券	オラクル	ウォルマート	ジョンソン&ジョンソン
15	新日本製鉄	BP	シェブロン	サムスン電子
16	AT&T	NTT ドコモ	IBM	ユナイテッドヘルス
17	日立製作所	AT&T	HSBC	LVMH
18	松下電器	IBM	プロクター&ギャンブル	ホームデポ
19	フィリップ	グラクソ・スミスクライン	AT&T	バンクオブアメリカ
20	東芝	デル	ヴァーレ	ウォルマート

どうなっているでしょうか。日本企業の時価総額ランキングの推移を表２にまとめました[6)]。1990年は金融一辺倒でしたが、それ以降は金融業がランキングから抜けていった以外は大きな変化は認められず、今も製造業が中心となっています。すなわち、変容する世界の中にあって、わが国の産業構造には転換が起こらなかったと解釈できます。1990年代初頭のバブル崩壊以来、わが国では「失われた10年」と（現在では「失われた30年」とも）いわれてきましたが、長期に続いた停滞の中で大きなうねりとなる駆動力が生まれず、もっぱら世界の潮流に流される形で情報社会への転換を迎えたともいえます。

表２　日本企業の株式時価総額のランキングの推移

	1990	2000	2010	2022
1	NTT	NTT ドコモ	トヨタ	トヨタ
2	日本興業銀行	NTT	三菱 UFJFG	ソニー
3	住友銀行	ソフトバンク G	NTT ドコモ	NTT
4	富士銀行	トヨタ	本田技研工業	キーエンス
5	第一勧業銀行	ソニー	キャノン	KDDI
6	三菱銀行	セブンイレブン	三井住友 FG	三菱 UFJFG
7	東京電力	日本オラクル	NTT	SBG
8	トヨタ	富士通	三菱商事	ファーストリテイリング
9	三和銀行	パナソニック	任天堂	第一三共
10	野村証券	東京三菱銀行	パナソニック	リクルート
11	新日本製鉄	光通信	日産自動車	任天堂
12	日立製作所	野村証券	東京電力	オリエンタルランド
13	松下電器	NTT データ	武田薬品工業	ソフトバンク G
14	東芝	武田薬品工業	ソニー	ダイキン工業
15	関西電力	村田製作所	みずほ FG	信越化学工業
16	日本長期信用銀行	日立製作所	野村 HG	日立製作所
17	東海銀行	ローム	ソフトバンク	東京エレクトロン
18	三井銀行	ヤフージャパン	三井物産	本多技研工業
19	日産自動車	住友銀行	JR 東日本	三菱商事
20	三菱重工	NEC	デンソー	武田薬品工業

2.3　教育の転換

この節の最後に教育の転換について述べておきます。これまで述べてきたエネルギー政策の転換や社会の転換では、私自身が行き着く先に向かって懸命に山を登ったというわけではありません。あくまでも社会全体の変革という大きなうねりを体験しただけのことです。それに対し、新型コロナウイルス感染症（COVID-19）の感染拡大を契機とした教育の大転換では、私自身もその渦中に身を置くこととなりました。ここではその駆動力について考えてみます。

前述した情報革命は、当然のことながら教育にも及びました。情報社会の到来にともなって、インターネットを活用した e- ラーニングや衛星通信型の教育も広く普及し、ノートパソコンやタブレット端末が教育の場にあたりまえのように登場するようになりました。初等･中等教育では、

2019年にGIGAスクール構想[7]が掲げられ、学校のICT（Information and Communication Technology）環境の整備を進めるとともに、教材開発や教授法も含め新たな教育への転換に向かうこととなりました。高等教育では一足早くICT活用が進められてきましたが、その動きは年々、加速度を増してきていました。

2018年に策定した「東北大学ビジョン2030」[8]は教育・研究・社会との共創・経営革新の4つの柱から構成されますが、この中の教育ビジョンの重点戦略の1つに先進的ICT教育の推進を掲げ、「日々進化する情報通信技術（ICT）に対応した先進的な教育環境を整備するとともに、そのテクノロジーを利活用した教育を展開します。」と記されています。これは、次なる到達点としての教育の未来像を示したことになります。東北大学では以前からISTU（Internet School of Tohoku University）による授業収録配信システムを整備し、オンラインを活用した学びの高度化を推進してきましたが、それでも講義のほとんどは教室で対面実施するスタイルでした。これが2020年のCOVID-19によるパンデミックの到来によって劇的に転換することとなります。

パンデミックは瞬く間に社会構造を一変させ、巷はソーシャル・ディスタンスやステイ・ホーム、ロックダウン、テレワーク、自粛など、行動変容を求める言葉で埋め尽くされました。社会全体で行動制限が続き、キャンパスに学生を迎え入れることができない状況の中で、自ずとICT活用によるオンライン（遠隔）授業へと移行を急ぐことになりました。幸い、東北大学ビジョン2030の実現に向けて、BYOD化（bring your own device：学生一人ひとりが自身の端末をもって学修に臨む）の推進や、WiFi環境、LMS（learning management system：学習支援システム）の整備を進めていたこともあり、ハード面での障壁はそれほど高くはありませんでした。むしろ、大きな障壁として立ちはだかったのは、教授法の大転換への教育理念の対立でした。教室で黒板を背に学生と向き合う（対面授業）という100年以上変わらぬ教授法こそが教育そのものであって、ICT化が進んだ状況にあっても、オンライン教育は補助的なものという考えが当初は支配的でした。対面授業かオンライン授業かというイデオロギー論争的な議論は日々学内外で展開されましたが、それでも、オンライン教育への転換は猛スピードで進んでいきました。その駆動力は間違いなく個々の教員の教育への渇望でした。パンデミックでさまざまな行動制限を強いられる中、自らの生業である教育こそは主体的に実践していきたいという強い意志の表れだったのです。行政主導の初等・中等教育では、新学期の始まりを後ろ倒しにしたり、クラスの半数ずつを登校させたりという初動対応だったのに対し、高等教育では一気に教育の転換が進んだことは、このような主体性の発揮によるものなのだと思います。最近では対面とオンラインを高度に融合したハイブリッド型の教育も展開され、このスタイルは間違いなくパンデミック後も定着する、いわゆる安定状態（エネルギーの極小値）として落ち着くことでしょう。

第三節　外的因子はどう働くか

現代の話題を中心に、いくつかの転換の駆動力について眺めてきました。ここでもう一度、自然科学の考えに照らし合わせて考察してみましょう。第一節では、熱力学的な視点から、自由エネルギーの概念を用いて物質の安定な状態について議論しました。本節では、ここに新たに「環境」という因子を加えて考えていきます。

鉛筆の芯に使われる黒鉛（graphite）と宝石のダイヤモンド（diamond）は、いずれも炭素原子だけからなる同素体です。同素体とは、同じ構成原子からなる単体でありながら、原子の配列（結晶構造）や結合状態が違うことによって、物理的にも化学的にも異なる性質を示すもののことです。真っ黒で柔らかく、電気を通す黒鉛と、無色透明で地球上で最も硬く、電気を通さない（絶縁性の）ダイヤモンドは全く正反対の性質を示すといっても良いでしょう。同じ元素で構成されながら、この両者の違いはどこから生じるのでしょうか。黒鉛では炭素原子は３本の手を出して互いに結合し、六角網面とよばれる正六角形のタイルを敷き詰めたような平面シートを形成します。このシートが一層ずつ積み重なって黒鉛が構成されるため、紙の上をなぞると一層ずつシートが剥がれて文字を描くことができます。炭素は本来、4つの価電子（結合の手）を持っているため、3本の手で結合した黒鉛では、炭素原子1つあたり1個の電子が余ります。この結合に使われない電子がシートの上を自由に飛び回るため、黒鉛は導電性を示すのです。他方、ダイヤモンドでは、炭素原子は4本の手をすべて使って、互いに強固に結合します。この時、正四面体の中心から4つの頂点方向に手を伸ばすことによって、三次元的に連なった原子の配列が導かれます。全ての電子が強固な化学結合の形成に使われ、そこからダイヤモンドのさまざまな性質が生み出されます。では、この両者はどのような環境で存在するのでしょうか。実は、私たちが暮らす地表の環境（大気圧下）では、炭素は黒鉛として存在する方が安定なのです。ダイヤモンドは地球内部の高温高圧の環境で安定な状態で、地球深部で形成された炭素の固体がマグマの働きによって地表近くまでに運ばれてきたものです。

図4に黒鉛とダイヤモンドの自由エネルギーの関係を示します。大気圧下では黒鉛の方が自由エネルギーが小さく（安定）、他方、地球内部のような高温高圧の環境では、ダイヤモンドの方が自由エネルギーが小さくなります。すなわち、高温高圧下では黒鉛からダイヤモンドへの転換が起こり、逆に大気圧下ではダイヤモンドから黒鉛への転換が起こることになります。ところで、現実には私たちがダイヤモンドを手にすることができるように（もっとも、財力が必要ではありますが）、地表の環境においてもダイヤモンドは存在します。これは第一節で述べた「準安定」状態にあるからです。図4に示されたように、大気圧下でダイヤモンドから（より安定な）黒鉛への転換が起こるためには、活性化エネルギーの山を乗り越えなければなりません。同じように、黒鉛を高温高圧の環境に持っていけば容易にダイヤモンドに転換するかというと、やはり単純ではありません。活性化エネルギーを超えるための駆動力が必要で、実際に人工ダイヤモンドの合成においては、この障壁を低くするための

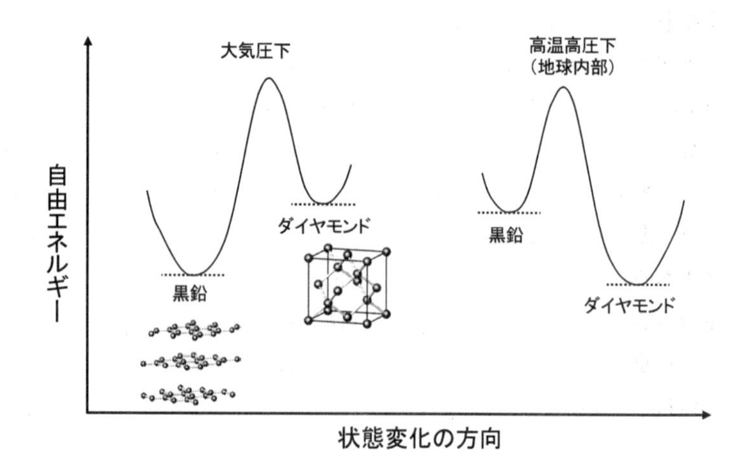

図4　炭素の状態変化への外的要因の影響

触媒が用いられています。

さて、この節で述べたかったことは、置かれた環境によって安定な状態が異なるということと、本来は安定な別の状態があるのだとしても、準安定な状態のまま落ち着くこともあるということです。第二節で述べたエネルギー政策の転換などはまさにこの状況にあって、地政学的な事由や社会情勢の変化によって、進むべき方向が変わるということをあらわしています。物質の状態変化においては、安定な状態を実現する支配因子である「環境」とは温度や圧力といったものですが、人生の転機にとっては周囲の人間関係や社会構造でしょう。その際、環境に合わせて「より安定な」方向へと転換する駆動力をもつのか、あるいはダイヤモンドのままであってほしいと、障壁を越えずに準安定に踏みとどまるのか、これが人生なのだと思います。「自由エネルギーの差がわかっていたとしても、障壁（活性化エネルギー）の大きさはわからない」。これが人生の妙味なのでしょう。

おわりに

転換についてあれこれと考えてきました。科学的な視点では、２つの状態の間の転換をエネルギーの観点から捉え、その間の障壁を乗り越える駆動力が必要だということを述べてきました。さまざまな転換の事例を眺めてみると、この熱力学的考察をそのまま社会や人生にも当てはめることができるように感じました。私たちがさまざまな場面で「苦難を乗り越える」「峠を越える」「山場を迎える」「ハードルが高い」などというように、間違いなく先の世界に転換するためには障壁を乗り越えなければなりません。第二節で見てきたように、転換には「契機」が必要ですが、契機そのものは駆動力ではありません。駆動力となるのはあくまでも「その先の世界」に進もうとする人間の強い意志であって、社会の転換などは、その個々の意思が大きな潮流を生んだ時に起こるのだと結論します。自ら人生を切り拓く人、社会を先導する力をもった人のことをエネルギッシュな人などとよんだりしますが、まさに大きな駆動力となる人のことをいうのでしょう。

私は高度成長期の真っ只中の 1960 年代に生まれ、黄金期ともよばれる 1980 年代に学生生活を送ったため、科学技術立国やものづくり大国という言葉で日本が語られるのはごく自然のように受けとめてきました。実際、モノの時代であった 20 世紀末頃の世界市場は日本製品で溢れ、学術研究の世界でも数々の優れた研究成果が生み出されてきました。ところが、21 世紀を迎えた頃から風向きが変わりました。科学技術立国・電子立国日本を支えた半導体、電子機器産業の後退をはじめ、多くの分野で日本製品や日本の産業技術のかつての勢いが失われてきています。私が専門としてきた工学分野においても、かつては米国とともに世界を牽引してきたものの、現在ではその地位低下が危機感を持って認識されるようになりました。産業や学術研究におけるこのような状況は、地球規模での大きなうねりとも同調しているようです。アジアやアフリカを中心に地球人口は膨張を続け、総人口は今世紀半ばで 97 億人、来世紀初頭には 110 億人にも達するといわれています[4)]。他方、わが国ではすでに人口減少社会へと転じ、今世紀半ばには総人口は１億人を割り込むと予測されています[9]。少子高齢化が進行する中、膨らみ続ける社会保険支出にどう対応するのか、また、世界の総GDPが増大に向かう一方で、生産人口が減少するわが国が縮小する社会をどう克服していくのか、大きな課題に直面しています。グローバルな視点に立っても、世界がこのまま成長を続けることは想像し難く、人口爆発とGDP増大によってもたらされる富裕層の増加は、エネルギーや食糧、水資源などの需給問題を顕在化させるとともに、環境問題などの持続可能性をも揺るがす大きな課題をもたらすことでしょう。実学とは人々の安全・安心、健康・福祉、そして持続可能な社会・環境を構築するための学問です。学術のどの分野においても、研究の動機は個々の研究者の知的渇望、好奇心にあります。一人ひとりの研究活動が社会の幸福につながることが達成感かもしれませんが、未来社会を想像し、社会が抱える課題の解決や持続可能な未来像に向けて何をしなければならないのかを自ら考え、人類社会に新たな潮流を生み出すことが私たちに期待されていることだと思います。

社会の転換点ともいわれる現代にあって、いかに主体的に山を乗り越えていくのか、その先にはどのような世界が待っているのか。いずれにしても、転換する先は、今よりも素晴らしい世界、より成長した自分であるはずです。だからこそ山を乗り越えることができるのです。未来への挑戦こそが転換の駆動力だと結論して本章を閉じることとします。

註・参考文献

1） 資源エネルギー庁、エネルギー白書
https://www.enecho.meti.go.jp/about/whitepaper/2021/html/2-1-4.html
2） 新エネルギー等は地熱、太陽光、風力、バイオマスなど
3） 内閣府科学技術政策　https://www8.cao.go.jp/cstp/society5_0/
4） 国連世界人口予測　https://www.unic.or.jp/news_press/info/33789/
5） 1990年：Diamond Online、https://diamond.jp/articles/-/177641
2000、2010年：Financial Times Global 500、
http://specials.ft.com/ft500/may2001/FT36H8Z8KMC.html
http://media.ft.com/cms/253867ca-1a60-11e0-b003-00144feab49a.pdf
2022年：Wright Investors' Service Inc. Corporate Information Top 100 Lists、

https://www.corporateinformation.com/Top-100.aspx?topcase=b#/tophundred

6) 1990年：Diamond Online、https://diamond.jp/articles/-/177641
2000年：Financial Star、https://finance-gfp.com/?p=15169
2010、2022年：日本取引所グループ
https://www.jpx.co.jp/markets/statistics-equities/misc/02-02.html

7) 文部科学省、GIGAスクール構想について
https://www.mext.go.jp/a_menu/other/index_0001111.html

8) 東北大学ビジョン2030　https://www.tohoku.ac.jp/japanese/profile/vision/

9) 厚生労働省、我が国の人口について
https://www.mhlw.go.jp/stf/newpage_21481.html

第二章　時代の転換点／私の転換点

野家　啓一

はじめに

2017 年の 10 月から 12 月にかけて、千葉県佐倉市の国立歴史民俗博物館で企画展示「『1968 年』無数の問いの噴出の時代」が開催された。1968 年を時代の転換点と見定めてのことである。私は展示そのものを見ることは叶わなかったが、さいわい「図録」を手に入れることができ、展示の概要を確認することができた。全体は 2 部に分かれ、第 1 部は「『平和と民主主義』・経済成長への問い」と題し、「ベ平連」の活動を中心とするベトナム反戦運動、成田空港建設をめぐる三里塚闘争、熊本水俣病闘争、横浜新貨物線反対運動など日本各地で展開された地域住民運動が視野に収められている。第 2 部は「大学という『場』からの問い－全共闘運動の展開」と題され、東大闘争と日大闘争を軸に、各地で勃発した大学闘争の諸相に焦点が合わせられている。

この図録の巻頭にはプロローグとして「なぜ、『1968 年』か」という展示の趣旨を明らかにする一文が掲げられている。時代背景を知るには格好の文章なので、少々長いけれども引用しておくに値する。

> 1968 年という年は、国境を越える連携を含めてベトナム反戦運動が世界的に展開され、アメリカではキング牧師暗殺を契機として公民権運動における急進的運動が勢いを得、フランスでは五月革命とも呼ばれる学生運動・労働者ゼネストが起こり、西ドイツでは戦後民主主義の形骸化・権威主義化に抗議する学生運動が高揚した。社会主義圏に目を転じれば、「プラハの春」と言われたチェコスロバキアの民主化運動とそれに対するワルシャワ条約機構軍の軍事介入の年で

> あり、各国の新左翼学生が中国の文化大革命に、ソ連型社会主義に代わる社会主義のモデルを託そうとした。こうして、西欧世界を中心とする若者たちの社会的抗議運動が頂点に達し、それにともなう対抗文化が創出された時期は、象徴的に「1968年」として語られる。日本でも、1968～69年に全共闘運動が展開され、反戦市民運動・公害反対運動・開発政策への反対・多様な住民運動が、この時期を前後して噴出し、社会運動の高揚期をつくり上げた。[1)]

付け加えるとすれば、「それにともなう対抗文化」として括られているが、「ビートルズ旋風」と称されるサブカルチャーの席捲こそ、当時の若者の気分を代表するものであった。またジョン・コルトレーンやセロニアス・モンクのモダンジャズが鳴り響くジャズ喫茶の一隅も、当時の学生たちのたまり場であった。私が東北大学理学部物理学科に入学したのが1967年、卒業したのが1971年であるから、まさに1968年を間に挟んで、私の大学生活は「時代の転換期」と添い寝をしたと言ってもよい。そして、理学部を卒業後、私は専門を物理学から科学哲学に変更し、理系から文系への道を歩み始めることになる。まさに1968年を蝶番とする「時代の転換期」は、私自身にとっての「私の転換期」でもあった。以下では、これら二つの転換期を重ね合わせながら、私自身の学問的歩みを振り返ってみたい。

第一節　時代の転換期

国内と国外とを問わず、1968年前後に出来したさまざまな出来事は、まさに時代の転換期を象徴するものであったと言ってよい。さきの「プロローグ」をも参照しながら、ここで代表的な出来事（事件）を列挙しておこう。

[海外]

・1962／10：ザ・ビートルズ結成

・1965／2：アメリカ軍による北ベトナムへの「北爆」開始

・1966／5：毛沢東による文化大革命が中国全土を席捲
・1968／3：ベトナム反戦運動の高揚
・1968／4：キング牧師暗殺
・1968／5：フランス五月革命
・1968／8：ワルシャワ条約機構軍による「プラハの春」の軍事制圧
[国内]
・1966／6：ザ・ビートルズ来日
・1966／7：三里塚の新空港建設が閣議決定
・1968／6：日大闘争はじまる。
・1968／7：東大全共闘による安田講堂占拠
・1968／9：水俣病とイタイイタイ病の「公害病」認定
・1968／10：国際反戦デーのデモに騒乱罪適用
・1969／1：機動隊による安田講堂封鎖解除
・1969／2：東大入試中止
・1970／11：三島由紀夫市ヶ谷駐屯地で自決

まさに月をおかずに次々と重大な事件が頻発している様子だが、何が「1968年」を転換期たらしめているのか、ここではイマニュエル・ウォーラーステインの「世界システム論」の枠組みを借りて考えておこう。ウォーラーステインはアフリカの開発問題と取り組んできた社会学者である。彼が目を向けたのは「南北格差」の問題であった。先進国では「飽食（とダイエット）」が繰り返されているのに、発展途上国では「恒常的飢餓」に悩まされている。このような格差はウォルト・ロストウが『経済成長の諸段階』で提唱したような近代化論（発展段階論）、つまり低開発国への資本注入によっては解消することができない。先進国の「飽食」が途上国の「飢餓」の原因であるかもしれないのである。だとすれば、国民国家を単位とする「一国史観」に立脚して問題を解決することはできないであろう。世界経済はグローバルな分業体制という一つのシステムをなしているのであり、そのなかで食糧や所得の分配問題を考えねばならないのである。これが「世界システム」というウォーラーステインの画期的アイディアであった。

彼によれば、近代世界システムは1789年のフランス革命によって政治経済的に成立したが、いまやそのシステムは終わりの日を迎えている。すなわち「変化が常態であることと、それが生み出した制度についての1789年以来のコンセンサスは、おそらく今や最終的に終焉を迎えている。しかし、その終焉の日とは、1917年ではなく、むしろ1968年のことであった」[2)] というのである。むろん、1917年とはロシア十月革命の年を指している。世界システム論の観点から1917年よりも1968年に重きを置くウォーラーステインの考えを理解するためには、まずもって「反システム運動」という独特の概念を押さえておく必要がある。

> 反システム運動とは、近代世界システムにおいて、システムの部分的修正や漸進的改良による現状の改善を否定し、なんらかのレベルでシステムそれ自体を変革することを要求の根拠とする社会的、政治的、知的運動のことである。ウォーラーステインによれば、古典的な反システム運動は、社会主義の運動と民族解放運動である。(略) しかしながら、反システム運動は、個々の運動の歴史的な連続性ではなく、あくまで運動が、システムの部分的修正や漸進的改良を否定するトータルな批判の形態をとっているという点に注目するものである。その意味では、20世紀後半以降の世界システムにおける代表的な反システム運動は、1968年に象徴的な起点を持つような「新しい運動」－エコロジーやフェミニズムの運動など－ということになる。[3)]

つまり、1917年のロシア革命は社会主義運動という古典的な反システム運動であり、システムのトータルな批判という意味では、「1968年の世界革命」[4)] に一歩を譲るというわけである。そのことはローマクラブがまとめた報告書『成長の限界』が、いわば体制側の内部から自然環境問題を俎上に載せ、近代世界システムの限界に気づき始めたのが1968年であったことからも明らかであろう。また1962年にレイチェル・カーソンが『沈黙の春』を刊行して農薬の環境への甚大な影響に警鐘を鳴らし、同じ年に科学史家トマス・クーンは『科学革命の構造』によって、科学の発展を右肩上がりの知識の連続的蓄積と見る進歩史観に異を唱え、そこにパラダイムの転換が不可避的に関わっていることを歴史的な考察を踏まえながら明らかにした。これらの問題提起は、来たるべき1968年を準備し、その前哨でもあったと言うことができる。そのような意味でこそ、ウォーラーステインは「1968年は世界システムの内容と本質に関わる革命であった」[5]と断言するのである。

もう一つ、1968年に出来した事件で注目しておかねばならないのは、チェコスロバキアで起こった民主化運動とそれに対するワルシャワ条約機構軍による軍事的制圧である。この事件は、スターリン批判や人権抑圧などにもかかわらず、かろうじて残っていた社会主義に対する憧憬とかすかな希望を完膚なきまでに打ち砕いた。ソ連型社会主義が単なる国家暴力による抑圧装置にすぎないことが白日のもとに晒されたからである。当時ヨーロッパにあってこの事件を間近で見聞した加藤周一は、のちにそれに対する批判的感想を「言葉と戦車」と題する優れたエッセイにまとめている（初出は『世界』1968年11月号）。

> 事件はチェコスロバキアにとってばかりでなく、ソ連にとってもたしかに悲劇的であった。戦車は問題を解決しない。もし戦車に何かができるとすれば、問題を先へのばすということにすぎない。しかも戦車を導入することで直接にソ連が失うところは、世界の共産党の半分に対する指導力であった。（略）間接的に失うところは、おそらく国際共産主義運動の理想そのものであろう。「法的にみて疑う余地のない侵略」（カストロ）の結果は、英国鉱夫組合書記長の言葉をかりていえば、「理想への信頼の全面的な崩壊」ということにならざるをえない。[6]

つまり1968年は、一方で「反システム運動」の新たな胎動を予感させる年であったと同時に、他方では社会主義に代表される旧来の反システム運動（旧左翼）が翳りを見せ、やがて終焉へ向かう一歩を踏み出した年でもあったのである。そのことは、1989年のベルリンの壁崩壊とそれに続くソ連邦の消滅、そして中国の文化大革命の惨憺たる末路を持ち出すまでもなく明らかであろう（国内では連合赤軍事件の衝撃を付け加えてもよい）。言ってみれば、1968年は「破壊と創造」の年ではあったが、未来の希望を語りうる年ではなく、むしろ希望と絶望とがあざなえる縄のごとくに交錯した年だったのである。そのことにわれわれは時を置かずに気づくことになる。

第二節　私の転換期（1）「文転」のきっかけ

そうこうするうちに、私自身にも将来の進路を選択すべき「転換期」が迫っていた。そして転換期のさなかに身を置いている者にとっては、それが転換期であるとはなかなか気づきにくいものである。私の場合も同様であった。

私はもともと数学を得意科目とする理科少年であり、将来は漠然と理系の研究者になることに淡い憧れを抱いていた。それには中学時代に湯川秀樹の自叙伝『旅人』（角川文庫）を読んだことと、湯川に続いて1965年に朝永振一郎がノーベル物理学賞を受賞したことの影響が大きい。もう一つは、やはり中学時代に物理学者ジョージ・ガモフが書いた青少年向けの科学解説書『1、2、3…無限大』（白揚社）に出会ったことである。この本は知的にませた親友K君が学校にもってきて大事そうに見せてくれたもので、私はそのタイトルに惹かれて無理を言って一週間ばかり貸してもらった。頁を開くと、そこには学校で習う数学や理科とは異次元の世界が扉を開いて私を待ち受けていた。すなわち、数学の集合論や物理学の相対論や量子力学など、不思議といえば不思議な世界がガモフ自筆の挿絵とともに私を虜にしたのである。

それからは毎月お小遣いを貯めては当時10巻ほど出ていた『ガモフ全集』を第1巻の『不思議の国のトムキンス』から第10巻の『物理の伝記』まで一冊ずつ買い足して行き、それらを読破することに夢中になった。ガモフはビッグバン理論の提唱者らしく、物理学や宇宙論の解説のところどころに「宇宙に果てはあるのだろうか？」とか「時間の始まりはどこなのだろう？」といった多少とも哲学的な問いを差し挟みながら叙述を進めて行った。それが何とも素朴な少年の心には魅惑的に見え、そのような謎は理学部へ進んで物理学を勉強すれば解決できるのだろうと思いこんだのである。それゆえ、高校の進路指導の時間に、担任の先生がしきりに工学部進学を勧めてくれたにもかかわらず（当時は理系学部では工学部が最難関であった）、私は理学部志望を変えることはなかった。

さいわいにも理学部物理学科には合格できたものの、教養部のあった川内キャンパスは、70年安保を目前にして騒然としていた。キャンパスには独特の文字で描かれた立て看板（タテカン）が林立し、昼休みともなれば活動家のアジ演説が耳を聾せんばかりに広場に鳴り響いていた。休講の知らせが伝わると、教室はたちまちクラス討論の場に早変わりし、今では想像もつかないことだが、衆議一決すればそのままデモの隊列が組まれ、街頭で機動隊と渡り合うことにもなったのである。

したがって、理学部の学生であろうとなかろうと、社会的関心をもち、政治的テーマについて一家言をもつことは当然という雰囲気がその頃はあった。理学部では二年上の数学科には佐々木力氏（後の科学史家、東京大学教授）がいて「東北大学新聞」に健筆を揮っており、物理学科の一年上には小池光氏（後の仙台文学館館長、歌人）がいて文学談議に花を咲かせていた。そういった環境の赴くところ、私たちも同期の仲間と語らって、物理学者武谷三男の『弁証法の諸問題』や哲学者アンリ・ベルクソンの『時間と自由』などをテキストに読書会を開いては今から思えば幼い、しかし真剣な議論を闘わせていたのである。私が後に物理学から科学哲学へと専攻を変える決断をするのも、そうした下地があってのことかもしれない。

私はといえば、物理学科に籍を置いたとはいえ、ガモフによって刺激され憧れていた物理学と実験室で計器とにらめっこをする現実の物理学との間に次第に距離を感じ始めており、そのギャップを埋めようと物理学の周辺領域、すなわち科学史や科学哲学の分野へと読書範囲を広げつつあった。ありていにいえば、乱読の時代に入ったのである。

とはいえ、研究者として身を立てたいという希望は失ってはいなかった。というより、人付き合いの苦手だった私は、社会に出て営業など活躍の場を外に求めるよりは、孤独ではあれ書物と対話する仕事の方が自分の性に合っていたのである。しかし、大学院に進学するにしても、このまま物理学の勉強を続けて行くべきか、それともリスクをともなうにせよ、新たな関心が芽生えつつあった科学哲学の方向へ舵を切るべきか、どちらかを選ばねばならない。そんな折に、後者の道へと強く背中を押してくれたのは、偶然出会った二人の先達の論文であった。一つは『自然』1969年2月号に掲載された科学史家廣重徹の論考「問い直される科学の意味」、もう一つは『思想』1969年2月号から連載が始まった哲学者廣松渉の論考「世界の共同主観的存在構造」である。

今から考えると、科学雑誌の『自然』はまだしも、物理学科の学生がなぜ哲学雑誌の『思想』などに手を伸ばそうと思ったのかは自分で考えてもわからない。おそらくは、これからの自分の進路について、それだけ藁をもつかむ気持ちになっていたのかもしれない。それに加えて、これら二つの雑誌とも書店の店頭に並んだ発売時期が、東大全共闘による安田講堂封鎖が機動隊によって強制解除された時期と奇しくも重なっていたことである。まさに「時代の転換期」の渦中で、私はこれら二つの論考と遭遇し、それに導かれるように「私の転換期」を迎えたのだと言うことができよう。それを裏書きするかのように、廣重論文の冒頭は次のように始まっている。

各地の大学紛争のうねりは、いまや単なる学内問題の域をはるかにこえて、科学の教育および研究の存立そのものをも揺るがそうとし

> ている。それはバリケードによって教育・研究活動が物理的に不可能になっているというだけでなく、現代社会における教育や研究の意味それ自体が根本的に問い直されているということである。[7)]

これに続けて廣重は、現代科学の基本的特質を科学の「技術化」ならびに「体制化」に見定めている。技術化とは、科学と技術の結びつきが深化し、これまで基礎科学とよばれてきた分野が、むしろ技術的応用と一体化した基礎工学に変貌しつつあることである。その結果、「研究がテクニカルな性格のものに傾斜してゆく」[8)]という事態が着実に進行する。もう一つの「体制化」とは以下のような状況を意味する。すなわち「体制化とは、科学が現存の社会秩序を維持するための不可欠の要素となり、その結果として、この社会秩序のなかに科学の維持発展のための制度的装置がそなえられ、この社会秩序をはなれてはもはや存在しえないものとなったこと」[9)]にほかならない。こうした考察を踏まえながら、廣重は当時の学生たちが直面していた壁を「管理社会」と要約し、そこから抜け出る道を科学観そのものの転換に求めるのである。

> 学生ならずとも、操作される客体に甘んずることを望まないなら、現代の社会が向かおうとしている管理社会の完成を拒否しなければならない。しかるに、理想的な管理社会とは、近代科学の方法と合理性をモデルとし、科学による人間の制御に立脚しようとするものであった。とすれば、科学の価値としての絶対化は、こんにちの社会秩序を擁護し、その向かおうとする方向を推進するイデオロギーとしての役割をはたすであろう。この点においてもまた、科学に絶対的な善をみる価値観は転換されねばならない。[10)]

このような廣重の尖鋭な主張は、これまで理系の文化のなかで育ってきた私に科学と現代社会との関係について新たな視座をもたらしてくれた。従来「科学」と「イデオロギー」とは正反対の極にあるものと考えられてきたが、廣重の議論は科学こそ現代社会の体制を維持する強固なイデオロギーではないか、という「イデオロギーとしての科学」という新たなパースペクティヴを拓いてくれたのである。

もう一つの廣松渉の論文「世界の共同主観的存在構造」は、より広い文脈のなかで科学のあり方を捉え直す手がかりを与えてくれた。廣松はすでにマルクス研究に新生面を開いた新左翼の理論家として、その名を広く知られていた。しかし、短いエッセイは目に触れていたものの、本格的な哲学論文と接するのは初めてのことである。序章「哲学の逼塞情況と認識論の課題」は次のように始まっている。

> 哲学の沈滞が叫ばれるようになってから既に久しい。哲学はたしかに混迷を続けている。だが、果して諸科学はどうであろうか？諸科学も、これまた、同様に低迷しているのではないか？（中略）総じて、20世紀の中葉は－なるほど、原子力の開発、“生命物資”の合成、等々、理論の技術化・実用化という点では一大進捗の時期であったにせよ－、理論的創造力の低下した、“諸学問の停滞期”であったことを覆えないであろう。[11]

ここまでならば、さきに廣重が指摘していた科学の「技術化」という事態と軌を一にしており、特に目新しい論点は見当たらないと言ってよい。だが、廣松の議論はそこから一挙に近代的世界観の克服という世界史的パースペクティヴをもって展開される。

> われわれは、今日、過去における古代ギリシャ的世界観の終息期、中世ヨーロッパ的世界観の崩壊期と類比的な思想史的局面、すなわち近代的世界観の全面的な解体期に逢着している。こう断じても恐らくや大過ないであろう。閉塞状況を打開するためには、それゆえ－先には“旧来の発想法”と記すにとどめたのであったが－、“近代的”世界観の根本図式そのものを止揚し、その地平から超脱しなけ

れぱならない。認識論的な場面に即していえば、近代的「主観－客観」図式そのものの超克が必要となる。[12]

近代科学の成立現場にまで遡って、その基盤になっている認識論の枠組みそのものを刷新しようという気宇壮大な問題提起は、言うまでもなく科学哲学の方向へと一歩を踏み出そうとしていた私を鼓舞してくれた。それは物理学という学問をより広い思想史的文脈のなかで捉え直す手がかりを与えてくれたからである（同様の問題意識は、現象学の創始者フッサールの最晩年の著作『ヨーロッパ諸科学の危機と超越論的現象学』のガリレオ批判のなかにも見ることができる）。だが、読み進むにつれて、私の眼は第２節に付されたさりげない「注」の一文に釘付けになった。

＊＊アインシュタインの相対性理論とマッハ主義との関係については拙稿「マッハの哲学と相対性理論」（マッハ『認識の分析』付録、法政大学出版局りぶらりあ選書）を一覧願いたい。[13]

この注は私には天啓のように思われ、これから進むべき道に一条の光が差し込んだように思われたのである。その晩は、さまざまな想念が交錯して興奮し、まんじりともせずに朝を迎えたことをよく覚えている。私はなによりもマッハの翻訳論文集の付録に収められたこの論文を読んでみたいと思った。そこから何かが始まるように思われたのである。ところが、マッハの『認識の分析』は当時の版元（創文社）ではすでに品切れ・絶版になっており、図書館や古書店を探すほかはなかった。ようやく仙台の場末の古書店で当該の一書を探し当てたときの喜びは、いまでもまざまざと思い出すことができる。

いずれにせよ、私は廣重徹と廣松渉という二人の著者の雑誌論文に導かれて、五里霧中のなかルビコン川を渡ったのである。

第三節　私の転換期（2）本多修郎先生の示唆

そうこうするうちに私も最終学年にさしかかり、進路について具体的に決断せねばならない時期を迎えていた。しかし、物理学から科学哲学へと方向転換することだけは決めていたものの、具体的にどのように勉強を始めたらよいのか、ネットやスマホで簡単に検索できる時代ではなかったので、果してどこの大学院にそのような専攻があるのかどうかすら皆目わからなかった。

そんなとき人づてに教養部の本多修郎教授のことを耳にした。先生は旧制二高の理科の出身で哲学に転じ、教養部では哲学のほかに「自然科学概論」を担当しており、そこで科学史を講じておられるとのことだった。ところが、この「自然科学概論」は文系の学生のための授業で、私のような理系の学生は試験を受けても単位にはならなかったのである。ただ、自然科学概論の教科書として指定されていた『新編自然科学概論』（本多修郎、大内義一、永野為武共著）を見ると、数頁にわたってマッハの哲学思想について詳しい記述がなされている。そこでマッハについて教えを請うということを口実に、併せて進路についての相談にも乗っていただくことを思いついた。

その当時の東北大学教養部は川内の米軍キャンプの跡地にあり、教室も図書館も食堂も先生方の研究室も、すべて白と緑のペンキに彩られた米軍の宿舎や施設が転用されたものであった。とりわけ30番台の教室には太い柱があって黒板が見えづらく、馬を繋ぐための柱だという噂があったことや、また米軍家族の礼拝用に建てられたチャペルが大教室に使われていたことなど、今でも懐かしく記憶に残っている。

本多先生の研究室も、そうした米軍施設が転用されたものであり、急な木造階段の軋む2階にあったことを覚えている。ノックをして来意を告げると、禿頭の初老の教授がにこやかに迎えてくださった。しかし、話が進路のことに及び、私が物理学から科学哲学に専門を変更したい旨を述べると、とたんに屹度した顔つきになって、そんな馬鹿なことは考えないで、まじめに物理学の勉強を続けなさいとたしなめられた。あとで伺うと、そのような「文転」の希望をもつ学生が毎年相談に訪れるが、一人として成功した者はおらず、その二の舞になることを危惧したからだ、ということであった。

その折はマッハ『認識の分析』のドイツ語原書（『認識と誤謬』）をお借りして研究室を辞したが、その後何度もマッハやプランクやヘルムホルツの原書を借りに伺ううちに、多少はやる気があると認めていただいたのかどうか、夏休みに日本科学史学会が主催する「夏の科学史学校」という勉強会が東京であるので、参加してみないかというお誘いを受けた。プログラムを拝見すると、物理学史の廣重徹、数学史の村田全、生物学史の中村禎里、和算史の下平和夫など、錚々たるメンバーが専門のテーマを受けもっての講演会である。私がぜひ参加したい旨をお伝えすると、本多先生はさっそく廣重さん宛ての紹介状を名刺の裏に書いてくださった。東京の講演会場は、志を同じくする若手研究者の熱気で溢れかえっており（その中には東北大の物理学科で私の一学年上のIさんの姿も見えていた）、私にとっては一方的に刺激を受けるばかりの数日間であった。紹介状を携えていった廣重さんからは、理系からの転向者は語学が弱いので、まず語学をきちんと身に着けるようにと、考えの甘さをたしなめられた。これは今から考えても適切なアドバイスであったと感謝している。

夏休みが明けると、私の身辺も進学（理系の大学院入試は9月である）や就職で慌ただしい雰囲気に包まれていた。本多先生からは、こんど東京大学に新しく科学史・科学基礎論の大学院コースができたらしいよ、と募集要項を見せてくださった。ただ、理学系研究科のなかの「科学史・科学基礎論専門課程」なので大学院入試は9月と間近に迫っていた。本多先生からは、卒業後は文学部の哲学科に研究生として籍を置き、哲学の基礎をきちんと勉強してから東大の科学史・科学基礎論コースを改めて来年受験してはどうかとの示唆をいただいた。これもまた、私にとっては有難いご指導であった。

実際、翌年に文学部哲学科の研究生として細谷貞雄先生のニーチェ

『ツァラトゥストラかく語りき』や滝浦静雄先生のフッサール『デカルト的省察』のドイツ語原典の演習に参加させていただいたことは、一字一句をゆるがせにしない厳密なテキストの読み方を叩き込まれたという点で、その後の私のキャリアにとって、かけがえのない貴重な財産となったのである。いまから思えば、マックス・ウェーバーの「いわばみずから遮眼革（めかくし）を付けることのできない人や、また自己の全心を打ち込んで、たとえばある写本のある箇所の正しい解釈を得ることに夢中になるといったようなことのできない人は、まず学問には縁遠い人である」[14] という言葉を、文系の学問の精髄として身をもって体感できたということであろうか。

最終学年の秋からは、本多先生が主催されていた「日本科学史学会・東北支部」の月例会に参加することを許され、同時にそこの事務局手伝いのような仕事を任せられるようになった。月例会の会場は元の141ビルの2階にあった喫茶店「クローバー」で、常連のメンバーは教養部の先生方が中心で、本多先生をはじめ大内義一（物理学）、佐藤昌介（日本史）、吉田忠（蘭学史、文学部）といった教授連、ときに理学部大学院生のHさんやTさんも参加してこられた。また、この月例会のメンバーを中心に読書会も行われており、とくにE.A.バートの『近代科学の形而上学的基礎』の英語テキストは、コピー機がいまのように普及していなかった時代なので、青焼き複写の読みにくいテキストを手に議論を重ねたことが今となっては懐かしい思い出である。

大学院受験の季節はあっという間にやってきた。私にとって幸運だったことは、理学系の大学院であるため、受験科目に必ず数学や物理学など自然科学一科目を選択せねばならなかったことである。したがって、文系からの受験者にははなから不利であった。ふたを開けてみると、合格者は私を含めてほとんどが「理学部くずれ」だったのである。さらに幸運であったことは、一年目は廣重徹先生が、二年目は廣松渉先生が、非常勤講師として駒場キャンパスで授業を担当してくださったことである。私にとっては、物理学から科学哲学への「転換」を先導してくれたお二人の謦咳に接することができ、その指導に浴する機会を得たことは、これ以上望むべくもないことであった。その点では、この僥倖に感謝するほかはない。

おわりに

以上、私のささやかな学問的歩みを「転換期」に焦点をあわせて叙述してきたが、私に関して言えば、「時代の転換期」と「私の転換期」とが1968年という年を折り返し点として絶妙なタイミングで重なりあったということである。その波長が少しでもずれていたら、おそらく物理学から科学哲学への「文転」という無謀な（？）試みにはあえて挑戦はしていなかったはずである。その意味では「転換期」であったことは後知恵であって、渦中にあった者にとってはそうした自覚がなかったことが、むしろ幸いしたのかもしれない。

次にはその「転換期」の前後を通じて良き師に恵まれたということである。初めは論文を通じてのみ影響を受けた廣重徹、廣松渉の両先生には、のちに大学院の授業において直接の教えを受ける機会を得た。この幸運は何ものにも代えがたい。そして「転換期」の渦中において、その都度適切なアドバイスで導いてくださった本多修郎先生には、いま振り返っても感謝の言葉しかない。この場を借りてその学恩に深謝申し上げる次第である。

この「良き師」との出会いは、駒場の大学院での大森荘蔵先生のご指導（大森先生もまた物理学から哲学へ転じた先達であった）、さらには初めての留学先であったプリンストン大学でのリチャード・ローティ先生のご厚誼へと続いていくのであるが、それは「転換期」の次の章の話である。ここでは私自身の「転換」のプロセスを概略お伝えできたことで満足し、ひとまず筆を擱くこととしたい。

註・参考文献

1）国立歴史民俗博物館『「1968 年」無数の問いの噴出の時代』2017 年、7 頁。
2）I. ウォーラーステイン、本多健吉・高橋章監訳『脱＝社会科学－ 19 世紀パラダイムの限界』藤原書店、1993 年、35 頁。
3）山下範久「反システム運動」、川北稔（編）『知の教科書ウォーラーステイン』講談社選書、2001 年所収、77 頁。
4）I. ウォーラーステイン、山下範久訳『ヨーロッパ的普遍主義』明石書店、2008 年、103 頁。
5）I. ウォーラーステイン、丸山勝訳『ポスト・アメリカ－世界システムにおける地政学と地政文化』藤原書店、1991 年、114 頁。
6）加藤周一『言葉と戦車を見すえて』ちくま学芸文庫、2009 年、260 頁。
7）広重徹『近代科学再考』朝日選書、1979 年、85 頁。
8）同前、55 頁。
9）同前、58 頁。
10）同前、84 頁。
11）廣松渉『世界の共同主観的存在構造』岩波文庫、2017 年、15 頁。
12）同前、18 頁。
13）同前、27 頁。
14）マックス・ウェーバー、尾高邦雄訳『職業としての学問』岩波文庫、22 頁。

第三章　守破離－私の研究における転換点

山谷　知行

はじめに

私は茶道や武道の経験はありませんが、昔何かの本を読んだときに、「守破離」という言葉を知って、気に入りました。「守」は先輩や周りから物事の基本を見て自分のものにすること、「破」は基本の上に立って自分らしさを模索すること、「離」は自分の流儀を確立することと理解しています。研究や人の生き方にも、当てはまる言葉だとは思いませんか？この「守破離」は、大きな転換点であると私は考えています。

分水嶺や分岐点とも似ている転換点ですが、奥羽山脈に落ちた雨粒が太平洋に向かうのか日本海に流れるのかといった物理現象に、人の意思が加わっているのが転換点だと解釈しています。その時点での事象が転換点なのかどうかの理解は困難で、しばらく時間が経過して振り返ってみたときに、あの時がそうだったのかとわかるものでしょう。近代以降における歴史上の転換点は、例えばフランス革命とか明治維新（東北人の私は、戊辰戦争の方がしっくりきます)、二・二六事件、第一次や第二次世界大戦、湾岸戦争、それに2022年2月下旬からのロシアによるウクライナ侵攻などがあげられます。科学の発展では、X線・内燃機関・素粒子・DNAなどの発見や情報通信技術の発展や地球温暖化への警鐘、また新型コロナウイルスの世界的な蔓延など、大きな転換点がたくさんあります。しかし、私にはこのような大きな事象を論じるような能力はありませんので、本稿では私のごく個人的な研究における転換点を振り返ります。どの転換点が「守破離」となったのか、考えてみたいと思います。拙文が、皆様の将来にとって何かの参考になれば、幸いです。

私の専門は、植物分子生理学でした（もう研究はしていませんので、過去形です)。学生・院生時代も、教員になってからも、基本的には農学研究科に所属していました。植物生理学とは、植物の身体の中で、成長に伴ってどんな現象がどのようにして起こっているのかを研究する分野です。半世紀以上も前に、なぜ植物を対象にしたのか、なぜ生理学を選んだのか、なぜ研究者の道を歩もうとしたのか、その結果がどうだったのか、個人的なことではありますが、振り返ると転換点と考えられることがたくさんあります。私が東北大学に入学したのは、1968年です。いわゆる70年安保闘争のまっただ中で、入学早々にクラスの同期生が演壇に立って、日米安保自動継続反対、ベトナム戦争反対、沖縄返還などから大学からの学生寮自治介入への反対などを話しはじめました。それに続き、次々に色々な立場から演説する人々がいて、社会情勢に疎かった私は大いに面食らいました。キャンパス内には、いわゆる新左翼グループの立て看板も乱立していて、翌年の1969年には東北大学も川内(当時は教養部でした)の研究棟などの封鎖、機動隊との衝突などで、後期は教養部全てが休講になった時代です。入学から2年間は、いわばカオスの中で過ごしました。何も考えていなかった私には、カエルの解剖がなくなったことに喜び、麻雀などの遊びに没頭しただけで、この大きな政治の流れは、私の将来に結びつく転換点にはなりませんでした。新左翼運動にある程度共感はしたものの、その後の内ゲバの激化にはついて行けなかった教養部の2年間を、もっぱら社会勉強に費やしました。学部3年になってから、将来のことを少しずつ考えるようになり、本稿の話題に関連する出来事が増えてきました。以下に、時間経過に沿って、紹介していきます。

第一節　学生・院生時代の転換点

東北大学農学部を受験した動機は、当時の受験科目に数IIIがあったこと(高校の部活動で、数IIが私の頭から抜け落ちていた)と社会が1科目でよかったこと(カタカナが苦手で、世界史や地理は限りなく零点に近かった)、それに父親が農林省(今の農水省)の研究機関で土壌学の研究者だったことで、農学が身近であったことによります。何か大きな目標があったわけではありません。当時の農学部では、配属される学科は、1年次の成績と希望によって決められていました。私は化学と生物・物理が好きで、血を見るのは嫌いでしたので、競争は激しかったのですが農芸化学科を志望し、無事に配属されました。農芸化学とは、生命・食料・環境の諸問題を化学の面から幅広く研究する学問分野です[1)]。研究材料も、動物・植物・微生物から天然物までを包含していて、教養部までとは全く異なる授業ばかりで、大変楽しく勉強や実験に取り組みました。なお、この時点で教養部2年次までの社会勉強とは決別しました。農芸化学科の中でもネズミやカイコを研究対象にしている講座がありましたので、それを避けて、卒論研究を行う講座を選びました。当時の私にとって最も魅力的だったのが、微生物の講座でした。日本古来の発酵や抗生物質の生産、物質輸送などを幅広く研究していて、また原核微生物（大腸菌など）から真核微生物（酵母や麹など）までを扱っていて、興味がわきました。配属を決定する際には、定員がありますので、希望者が多いときは話し合いで決めます。微生物学講座は人気が高く、最終的に1名の定員オーバーになり、希望者の話し合いになりました。当時、私自身は大学院への進学はそれほど強く考えておりませんでした。何しろ、景気が右肩上がりの時代で、同期の仲間は、○○化学、△△商事、□□発酵、××ビールなど、本当に大手の企業へ就職しており、売り手市場でした。話し合いを持った結果、私以外の全員が大学院進学を希望しているということになり、進路を決めかねていた私が諦め、希望者が満たなかった植物栄養学講座（当時は土壌・肥料学講座）に配属されることになりました。この希望を諦めた瞬間が、後々研究者の道を歩む私の、最初の転換点になりました。微生物学講座を選んでいれば、少なくとも植物分子生理学を生涯の研究分野とすることはあり得ず、全く違った人生を送っていたと思います。その当時は、このことがわかるはずもありません。

　卒論研究のテーマは、当時では最先端の技術である植物細胞培養手法を用いての、窒素栄養の代謝に関するものでした。植物の葉や根などは器官と言いますが、器官を構成している細胞を外から与える植物ホルモンの構成比を人為的に変えて、細胞をバラバラにした状態（脱分化と言います）で培養することができるようになっていました。フラスコの中で、無菌状態で培養でき、条件によっては細胞から植物個体を再生する（再分化と言います）ことも可能です。植物個体から細胞へ、また細胞から個体へと変えることができるのは、植物は分化全能性に優れているからと言われています。昔から、挿し木では、茎の切断面から直接根が再生することを利用して、クローンを作っていました。最近は、哺乳動物でも幹細胞（iPS、ES、あるいは東北大学オリジナルのミューズ細胞などが有名ですね。調べてみて下さい）から組織や器官を再生することができるようになっています。さて、私が頂いたテーマは、イネの培養細胞が、与えられた培地栄養成分の一つである硝酸イオンを亜硝酸イオンに還元する硝酸還元酵素（NR）活性と、硝酸イオンの利用状況（培地からの吸収度合）がどのように変化しているのかを調べる研究でした。NRは、反応基質である硝酸イオンによって誘導的に合成される酵素と認識されていました。研究そのものはうまく進み、培養過程で大きくNR活性は変化したものの、培養後期で硝酸イオンがあるのにもかかわらず、NR活性がなくなるという新たな事実を見つけることができました。一方、人生設計は相変わらず明確ではなく、修士課程に進学するか就職するか悩んでいるうちに就職時期が終わり、何となく進学せざるを得ない状況に陥りました。同期の仲間が、上述したように大企業に続々と採用されているのを横目に見ながらです。将来目指すべき方向が見えないまま、何となく修士課程に進学しました。奨学金を貰えそうなので、生活は何とかなるかなと、相変わらずぼんやりです。

修士課程で頂いたテーマは、さまざまな種類の植物培養細胞を用いて、細胞を緑化する（葉緑体を作らせる）研究でした。脱分化状態の細胞に、葉緑体を分化させる、いわば正反対の分化状態を作り出す試みです。具体的には培養液に加える複数の植物ホルモンの濃度を変えて培養し、後は細胞任せとなるテーマでした。しばらく進めている内に、これは単に組み合わせを変えるだけの誰でもできるテーマで、細胞の生理状態について本当に自分の頭で考えて進める研究なのかと疑問を持ち始め、本当の研究をしてみたいと修士１年次の終わり頃に考え、博士課程に進学することを決断しました。この単調なテーマをもらったのが、第2の転換点とも言えるかも知れません。本当の研究に備え、修士2年次では、タンパク質の分離精製法・電子顕微鏡の応用・放射線同位元素を利用した光合成活性測定などなど、当時で利用できる研究手法を身につけるため、テーマから多少離れても様々な実験技法の習得に努めました。この頃、第四次中東戦争をきっかけに第１次オイルショックに直面し、物価の上昇やインフレが加速し、高度経済成長の終焉となりました。これ以降、基本的には日本経済は右肩下がりが続いて現在に至ります。修士課程修了者の就職も、随分困難になった時期です。

博士課程に無事進学しましたが、私がいた研究室では、博士論文のテーマは指導教員ではなく自分で見つけるようにと言われていました。修士論文研究の継続は全く考えておりませんでしたので、テーマ探しのため学術論文をたくさん読む毎日が続きました（文献調査です）。当時の生理学では、まだ抗体を用いての特定タンパク質（抗原）の検出法や、今では常識のPCR法や遺伝子配列解析の方法は導入されていません。あくまでも、植物の見た目の変化や様々な生物活性、様々なイオンや物質の組成などの分析を総合して、植物の中でどんな反応が起こっているのかを考察する学問分野でした。試行錯誤の末、学位論文のテーマを決めたのは、博士１年次の11月頃で、残りは２年と少し。正念場です。文献を読んでいた中で、トウモロコシの根に、卒論研究で扱っていたNRを不活性化するタンパク質があるという論文を見つけました。卒論研究の中で、イネの細胞の培養過程で、NR活性が大きく変化していることを見いだしていましたが、それが何に由来する変化なのか、具体的にはNRタンパク質自身が増加・減少しているのか、あるいは活性化や不活性化が起こっているのかということですが、区別がつきませんでした。イネの培養細胞にもトウモロコシの根に見いだされたような活性を制御するようなタンパク質があるのかも知れないと試したところ、実はイネ培養細胞にもそのようなタンパク質があったのです[2)]。このNR不活性化タンパク質について研究しようと決心したのが、今振り返ると大きな転換点でした。なぜなら、私の生涯の研究テーマとなる、イネの無機態窒素の有機化に関わる分子生理学的な研究の、まさしく第一歩だったからです。博士課程の時間が限られていましたので、自分では精一杯研究に没頭したつもりです。人は追い込まれると、思った以上の力を発揮できると、この頃思いました。NRが不活性化タンパク質の反応基質になりますので、実験のたびにNRを調整する必要がありました。でも、とりだしたNRは非常に不安定なタンパク質で、NR活性をそろえるのはほぼ無理です。したがって、同じ実験を繰り返し行い、弱点を補いました。博士の学位を取得した先輩方に、研究は未知に挑戦し、良好な結果が出たら英文で学術論文を発表することだと教わりましたので、丸2年間で3～4報の論文を公表できました。論文を書くこともとても大変でしたが、査読者の質問やコメントが私の師匠と思い、指摘に対する成果を苦労の末に加えて公表したことを、今でも昨日のことのように思い出します。同時に、この頃に書いた論文は、構成も論旨も全く不十分であり、今では読みたくもありません。複数の学会にも入会し、積極的に発表を行い、数多くの貴重なコメントを頂きました。専門が異なる師匠も多くでき、研究者の輪（ネットワーク）も大きく広がり、研究者の卵になれた実感を持ったのもこの頃です。複数の論文を公表できたことで、何とか学位を取得できました。

第二節　博士研究員時代の転換点

1977年3月に学位を頂きましたが、日本の景気は相変わらず悪く、もちろん就職先もありません。幸いなことに、日本学術振興会（JSPS）の奨励研究員（現在の特別研究員）に採用され、2年間は何とか暮らせます。でも、その後の見通しは、全く立ちません。当時は現在とは異なり、大型研究費や企業等によるポスドク（博士研究員）の制度はありませんでしたので、2年後には生活が破綻します。奨励研究員として博士課程時代の残っていた研究を継続しながら論文を書き、外国でポスドクをしようかなと妄想していた頃です。論文の別刷りを、トウモロコシ根のNR不活性化タンパク質を研究していたカナダの先生（女性です）に送り、職がないことも触れた手紙を添えた所、半年だけだったらポスドクで採用しても良いとの返事を頂きました。論文上で名前を知っているだけで、見ず知らずの日本人を雇うという、いわばギャンブルのような有り難い仰せに、私はすぐに飛びつきました。英語も話せない研究者の卵を採用する度量の大きさに、感動したことを今でも思い出します。半年というのがネックでしたが、研究の場を国際的な研究室に移すのは、とても魅力的なことでした。これが、博士研究員時代の大きな転換点になります。海外での生活の詳細は、東北大学教養教育院叢書第4巻[3)]に書かせて頂きましたが、半年で行うことは、トウモロコシ根とイネ培養細胞のNR不活性化タンパク質の性質や不活性化機構を比較するという、いわばこれまでの研究の発展型です。初めての外国生活、しかも秋から春までの暗い時期で苦労ばかりでしたが、幸いにも研究は順調に進み、半年で3報の学術論文を報告することができました。期待以上の成果に、ボスも私も大満足です。トウモロコシ根の不活性化タンパク質はNR特異的な分解酵素であること、イネ培養細胞のそれは、NR特異的な結合タンパク質であることを強く示唆できたという結論です[4)]。この時のボスとは、その後も彼女が亡くなるまで、共同研究をしたり相談相手になって貰ったりして、可愛がって貰いました。とても感謝しています。なお、学位審査の際に審査員T教授の質問に1977年の段階では明確に答えることができなかった宿題が残っていました。カナダにいる際に南フロリダ大学の先生との共同研究で、単離精製した不活性化タンパク質と精製したクロレラNRを用いて反応後、超遠心法で沈降係数をもとめ、確かにイネ細胞のタンパク質はNR結合タンパク質であることを証明し、1984年に公表しました。その別刷りを、答えを得るまで7年も必要だった旨を添えてT

教授に送ったところ、とても喜んでくれたことを思い出します。現在では、もっと簡単に証明する方法がありますが、当時の技術では、沈降係数で考察するのが限界でした。

契約期間切れの半年後、同じく博士研究員として、アメリカのミシガン州立大学に採用されました。期間は最長で3年。テーマは、タバコ培養細胞を用いて、栄養ストレス下における遺伝子重複の可能性を探ることでした。1979年でしたので、まだDNAや遺伝子解析が普通にはできない時代ですが、ヒトやシロイヌナズナ（モデル植物の代表）のゲノム解読が2000年頃にできましたので、遺伝子重複のアイディアは時代の先取りです。実際は、代謝されにくい窒素源を培地に与え、この栄養ストレス条件下で代謝できる酵素が数倍に増加するかどうか、もし増加の現象が観察されたときは、その原理を探るという内容の研究で、結構苦労しました。最終的に、学術雑誌に公表できる成果を得ましたので、何とか合格点だったと思います。所属した研究所は、植物生理学の分野では国際的に非常に活発な所であり、毎週のように色々な分野の著名人が講演にきたり、毎週研究所のセミナーがあったりと、その気になればセミナーだけで一週間が終わるような生活が続きました。多くの研究者に接して、視野を広げることができました。滞在中、アメリカ植物生理学会に2回参加し、多くの新しい研究者と知り合いになれました。また、学会に参加したことで、自分の車や大陸横断鉄道に乗って長距離移動をし、広大な景色を見ることができました。何しろ、鉄道で丸一日はトウモロコシ畑の中とか、翌日はソルガム、その翌日は砂漠とロッキーの山の中とかの移動です。この頃、時代の先端であった植物培養細胞を用いての研究をしてきましたが、ぼんやりとではありますが、このフラスコの中の細胞は、植物個体のどの細胞を代表しているのか、疑問を抱いておりました。また、北米ではコムギやトウモロコシ、ダイズなどが主な栽培作物であることを実感した時期であります。ご承知のように、世界の三大穀物はコムギ、トウモロコシ、それにイネですが、北米でイネを見る機会はありません。ですので、コムギやトウモロコシ研究は欧米にまかせ、日本に戻ることができたら生涯の研究対象をイネにしようと強く考えたのは、この時期です。研究材料を決めたのは、北米滞在が引き金で、これも転換点の一つであったと今は思います。とはいえ、日本に戻って研究機関に就職できる目処は、全く立っておりませんでした。現在のように、公募制が進んでいた訳でもなく、どこからか声がかからない限り就職先は見つかりません。ミシガンでの生活に慣れてくるにつれ、帰国したい思いがつのりました。いっそ、大型免許を取って、トラック運転手になろうかと本気で考えたのもこの頃です。和食や山のある風景、目に見えにくい人種差別、外国にいることの緊張感などが気になってきたのだと思います。

このあたりまでが、私の「守」です。長い時間が必要ですね。

第三節　岡山大学助手時代の転換点

1980年の夏ころ、倉敷市にある岡山大学農業生物研究所のM先生から、一通の手紙を頂きました。助手にならないかとの、大変嬉しいお誘いです。M先生のお名前やお姿は、日本での学会等で知ってはおりましたが、個人的な接点はなかった先生です。研究分野は同じ植物栄養生理学で、京都大学の助手から岡山大学の助教授に昇任された方です。おそらく、大学院時代や博士研究員時代の論文を読んで、声をかけて下さったものと思われます。岡山が、神戸市と広島市の間にあることもよくわからないまま、お願いしたい旨の手紙を急いで出しました。それまで就職に悲壮感一杯でしたが、結果的にはあっさりと決まり、12月16日付で採用になりました。急遽、ミシガン州立大のボスに中途で博士研究員を辞める旨の相談をして、快諾して頂きました。片道切符で北米に来ていましたので、慌てて安い航空券を探し、無事に帰国できました。

岡山大学のM先生は、キウリを用いて植物の必須栄養素の一つであるCa^{2+}の欠乏に伴った生理現象に着目して、研究されていました。採用して頂いた感謝の意味もこめて、数年間はこのテーマで研究を進めました。と同時に、日本では必須栄養素が欠乏するのはN、P、Kのみで、これらも栽培する時は施肥しますので、滅多に欠乏の障害がでることはありません。また、過剰に施肥するとその障害がでることも希にはありますが、通常の栽培では過剰の害もあまり心配ありません。特殊な土壌では、重金属やヒ素などの有害成分が悪影響を及ぼすことがありますが、これも植物栄養生理学的には極めて限定的な問題にすぎません。このような背景がありましたので、Ca^{2+}欠乏の研究を手伝いながら、将来自分が独立した際に、ライフワークとなるような研究テーマは何かということを、必死に考えたのがこの頃でした。考えたキーワードは、研究材料は日本で研究するべきと考えたイネ、研究内容は成育や生産性に最も大きく関わる窒素利用、さらに器官や組織を構成している細胞の機能分担でした。最後の項目は、長い間植物培養細胞を用いていた前述の疑問に基づきます。この頃の研究手法は主に生化学的なアプローチが多く、たとえば根全体とか葉全体を材料にしても、まずはミキサーや乳鉢で均一になるまで破砕し、その破砕液から目的のタンパク質や代謝産物、あるいは金属イオンを取り出して分析するという状態です。ミキサーで破壊せず、何とか細胞（群）それぞれの代謝的な役割を理解したいという発想です。このテーマを考えることができたことは、その後のライフワークを進めるにあたり、非常に大きな転換点になりました。とはいえ、まだ頭の中だけの話で、実際はCa^{2+}欠乏の生理学を研究する立場です。幸いに、Ca^{2+}欠乏では、呼吸活性が上昇したり、脱リン酸化反応が促進されたりという現象が見られていました。これらの点を考慮して、Ca^{2+}の貯蔵場所の一つであり呼吸の中枢であるミトコンドリアに着目したいとM先生に相談し、ミトコンドリアの研究を進めることを了解して頂きました。実は、植物のミトコンドリアには、光呼吸[5)]という光合成と密接に関わる代謝経路があり、この過程で大量のアンモニウムイオン（NH_4^+）が放出され、それがグルタミン合成酵素（GS）・グルタミン酸合成酵素（GOGAT）により、グルタミンさらにはグルタミン酸に再同化される可能性が1970年代半ばに示唆されていました。一方、ミトコンドリアにはグルタミン酸合成を触媒できるグルタミン酸脱水素酵素（GDH）が局在していて、GDHの反応はCa^{2+}によって活性の制御を受けることも知られていました。どちらの系でNH_4^+が再同化されているのか、非常に興味深いところです。ですから、Ca^{2+}欠乏の研究を進めつつ、こっそり窒素代謝に近づけていったことになります。

生物活性（TCAサイクルや電子伝達系）をしっかり保持したミトコンドリアの単離には、かなり苦労しましたが、材料や密度勾配遠心法を工夫して、なんとかできるようになりました。単離したミトコンドリアの呼吸活性やCa^{2+}濃度を測ったり、エネルギー物質のATP濃度を測定しながら、一方でNH_4^+の再同化に関わるGS、GOGAT、あるいはGDHの関与を探るべく、安定同位体の窒素で標識したグリシン（アミノ酸の一種、2分子のグリシンから一分子のNH_4^+が生成されます）をミトコンドリアに加え、安定同位体Nがグルタミン酸に入るかどうか、ミシガン時代の友人に質量分析装置で測定してもらったりしていました[6)]。1986年に、JSPSの特定国派遣研究員に採用され、再びカナダのボスの所に留学し、本格的にGS/GOGATの研究を開始しました[7)]。この時の様子は、教養教育院叢書4巻[3)]に述べていますので、興味のある方はそちらをご覧下さい。

この岡山時代が、私の「破」だと思っています。

第四節　東北大学農学部での転換点

1970年代の初め、第二次ベビーブームで、人口が一時的に増えました。それに伴い、1980年代後半に、全国の国立大学で入学定員を一時的に増やした時期があります。学生定員が5人増えると教員も1人増やす必要があり、東北大学でも教員定員を一時的に増やしました。臨時増募の教員と呼ばれます。東北大学農学部でも臨時採用があり、出身母体である農芸化学科の臨時増募教員にならないかと声がかかりました。臨時のポストですので、数年後に返還することは決まっていて、しかも助教授1人の組織になりますが、私にとってはとても魅力的な話でした。早速応募する旨の返事を書き、幸いにも1988年1月1日付で農芸化学科の助教授（細胞工学）として採用され、仙台に戻りました。ライフワーク研究を進める上で、大きな転換点になりました。頂いた研究室は、教員室のみのスタートです。期間限定の職種でしたので将来の不安は多少ありましたが、任期が切れればまたどこかに転出を考えればいいと思い、ポスドクの頃とはまた違う気持ちでした。場所も分析機器もありませんので、出身講座に寄生しながら、ライフワークに設定した「イネにおける窒素利用の分子基盤」の研究を開始しました。前述のように、窒素は植物の成育や作物の生産性に最も大きく関わる栄養素です。研究室の先輩であるM先生は、安定同位体である15Nを用いて、イネの穂に蓄積する窒素の約80%は、葉身において光合成などで活躍した高分子窒素化合物が老化に伴って分解され、師管を介して長距離輸送されてきた窒素に由来していることを報告されていました。師管の中を流れる窒素化合物の主体はグルタミンやアスパラギンというアミノ酸で、アスパラギンはグルタミンから合成されます。ですので、イネの生産性は、根における窒素の吸収・同化に加え、窒素のリサイクル利用の機構、つまり老化器官におけるグルタミンの合成と若い器官におけるグルタミンの再利用が極めて重要であることを意味しています。これらを標的として研究を開始しましたが、幸いにも出身講座の先生方が協力して下さり、優秀な卒論生を次年度から配属して頂き、セミナーも一緒、臨時とはいえ大変充実した時間でした。蛇足になりますが、アミノ酸代謝の中心はグルタミン酸、光合成産物の中心はブドウ糖ですが、師管液中の輸送形態は、アミノ酸はグルタミンとアスパラギン、糖はしょ糖です。わざわざ輸送に際して形態を変えていることになりますが、これは中性の水（師管液）に対して高濃度でも溶けやすい形態に変えているのではないかと、私は考えています。グルタミン酸やブドウ糖は、中性の水に高濃度で溶かすのは困難です。植物は、賢い選択をしていると感心します。

NH_4^+は、窒素源としてとても重要であり、植物に吸収された後、グルタミンに有機化されます。一方で、多量のNH_4^+は毒性を持つことから、根で吸収後速やかに有機化されると考えられており、実際に植物体内の

NH_4^+を測定しても、ごく僅かにしか検出できません。さて、イネがNH_4^+に遭遇する機会は、大きく4つあります。その1、施肥に由来して根が中心（イネは湛水下で育ちますので、窒素源はNH_4^+です。NO_3^-は使いません。学部・大学院時代の研究は、何だったのでしょうね？）、その2、前述の光呼吸由来で葉身の葉緑体を有する細胞が中心、その3、老化に伴う高分子化合物の分解、特に炭素飢餓状態におけるアミノ酸の呼吸への利用で放出されるNH_4^+で葉が中心、その4、リグニンなどの二次代謝物質であるフェニルプロパノイドの合成の際、フェニルアラニンの炭素骨格を利用しますので、この際に脱離されるNH_4^+で維管束組織が中心です。このNH_4^+の有機化に関わる可能性のある代謝系が、GS、GOGAT、GDHですが、1980年代半ばにオオムギの変異体を用いた研究が進み、少なくとも光呼吸の場では、GSとGOGATが関与していることが、強く示唆されていました。そこで、私もGSとGOGATに着目しました。イネのゲノム解析がひとまず完了したのは2000年ですので、まだこの時代は遺伝子情報がありません。しかし、GSには細胞内局在性が異なる少なくとも2種類の酵素（サイトゾルに局在するGS1と葉緑体に局在するGS2）があり、またGOGATには反応における電子供与体「還元型のフェレドキシン（Fd）か還元型ニコチンアミドアデニンジヌクレオチド（NADH）」が異なる少なくとも2種類の酵素が存在していることがわかっていました。私の研究目的は、これら複数の酵素が、上記のNH_4^+に遭遇する場合に、組織を構成している異なる細胞（群）において、機能を分担しているのかどうかを明らかにすることでした。まだ遺伝子情報を利用する分子生物学的な解析はできませんでしたので、酵素タンパク質を可視化できる抗体を作成し、解析を進めました[8, 9]。それぞれの抗体を用いて免疫染色を行った結果、葉身組織内で局在性が異なることが明らかになりました（図1、図2）。機能分担をしている可能性が、示唆されました。

そうこうしているうちに、臨時増募の期限が迫ってきて、農学部ではこのポスト（6名分）を恒常化すべく学部改組を行い、何とか定員の獲

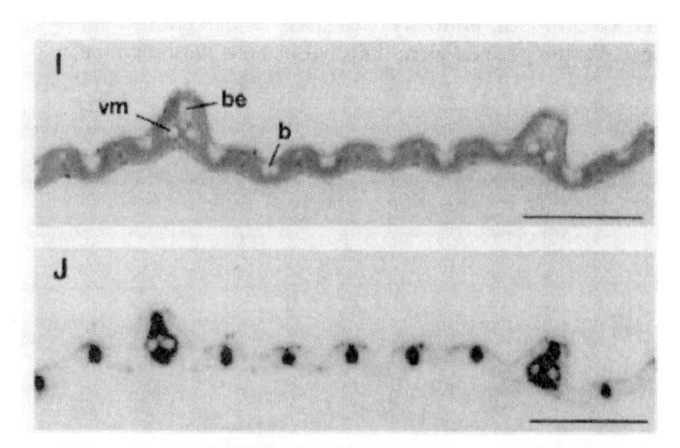

図１　イネ老化葉身横断面における GS1 タンパク質の可視化

上の写真は、色素（トルイジンブルー）で染色した横断面の構造。下の写真は Tissue Print Immunoblot 法で GS1 抗体を用いて可視化した GS1 タンパク質の組織内局在で、黒いドットが GS1 タンパク質を示している。いわゆる葉脈（大維管束と小維管束組織）のみが染色されていることが分かる。バーは 50μm を示す。出典は、引用文献（8）。

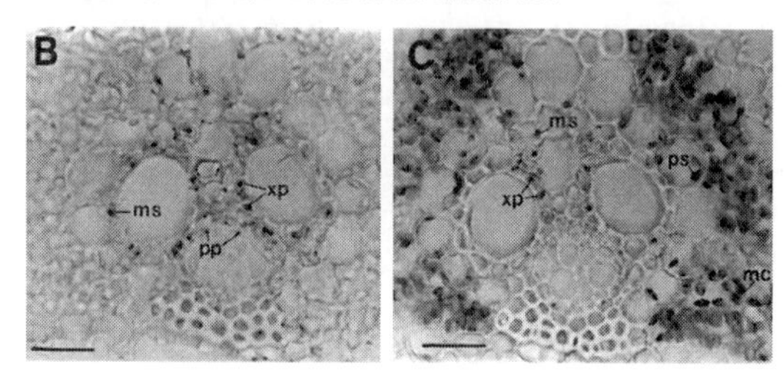

図２　イネの若い葉身大維管束組織における２種類のグルタミン酸合成酵素（GOGAT）の免疫染色による局在の違い

左の図は、NADH-GOGAT タンパク質が赤褐色に染色されており、師部柔細胞（pp）、木部柔細胞（xp）、メストム鞘細胞（ms）に主に局在している。
右の図は、Fd-GOGAT タンパク質の染色図で、主に葉緑体がある葉肉細胞（mc）に局在している。それぞれ、中央の目玉のような大きな空洞は導管であり、師部柔細胞の側に師管がある。
バーは 25μmを示す。出典は、引用文献（9）。

得を文科省に認めて貰うことができました。農芸化学科でも、教授1名からなる新講座の細胞生化学を設立し、教授選考が行われ、幸運にも私が初代の教授に選ばれました。42 才の若造教授です。1992 年 12 月 1 日から、新講座の活動を開始しましたが、スペースは教授室のみ。本来、新講座ができるときは、文科省からの講座新設のための補助がでるはずですが、この折衝の時は補助はいらないのでポストを下さいという方針だったとのこと。したがって、物品・備品をそろえる予算はありません。新設にあたり、事務から一応講座新設の予算を見積もるようにと言われ、約3億円で提出しましたが、実際についた予算は約7万円でした。机や椅子を購入する分の予算とのことで、「初度調弁費」という経理用語をこの時に覚えました。この予算を審議した教授会で、7万円は多すぎるのではないかと発言した執行部の先生がおられ、私は随分恨んだものです。新年度から、2名の卒論学生が配属されます。でも、研究スペースは教授室のみ、研究備品は皆無のスタートで、またまた出身講座の先生方にしばらくは寄生です。研究費も獲得しなくてはいけません。分子生理学的な研究を無理なく進めるには、少なくとも年額で2～3000万円は必要です。かなりコンスタントにJSPSの科学研究費補助金は頂いていましたが、年額数百万では焼け石に水です。開始当初数年は、研究費不足で学生さんに物品の購入を遠慮してもらう（実験するな）など、随分迷惑をかけました。スペースもないので、最悪、廊下に学生さんの机を並べるかとも考えたのがこの頃です（幸い、廊下には置かなくてすみました。消防法違反です)。予算獲得のために、可能な限り学術論文を書きましたが、まだまだ予算もスペースも足りません。情けない新米教授です。でも、農学部・農学研究科の先生方のご理解もあり、研究室のスペースやスタッフもゆっくりではありますが増員できまして、2007年にはほぼ他の研究室と同様になりました。発足以来、15年です。長かったです。

この間、研究費の状況が好転したのは、1996年のことでした。JSPSの未来開拓学術研究推進事業のプロジェクトリーダーに採用されたのです。グループ研究ではありますが、年額約1億円で5年間のプロジェクトで、予算的にも、また国内の人脈形成にも、本当に大きな転換点でした。附属農場におられた先輩のS先生と一緒に、遺伝子組換え作物を野外で栽培できる隔離圃場を国内でさきがけて整備したのもこの頃です。この大型プロジェクトの推進後も、JSPSの比較的大型の科学研究費補助金の獲得や、重点領域研究・特定領域研究や科学技術研究機構CRESTのコアメンバーなど、研究費は定年まで何とか不足することなく、学生さん達には迷惑をかけずに過ごせたのは、幸いでした。

未来開拓学術研究推進事業が終了した2000年頃から、イネのゲノム情報が徐々に明らかになり、分子生理学や分子遺伝学的な研究を展開できるようになりました。ゲノム情報から、イネには4種類のGS、つまりサイトゾル（細胞内オルガネラ以外の可溶性の部分）に局在するGS1;1、GS1;2、GS1;3および葉緑体に局在するGS2と、3種類のGOGAT、いずれも葉緑体やプラスチド（葉緑素を持たない葉緑体）に局在するNADH-GOGAT1、NADH-GOGAT2、それにFd-GOGATが存在していることが判明していました。この頃は、主に土壌に存在する植物病原菌であるこぶ病菌（*Agrobacterium tumefaciens*）を用いて、遺伝子組換えがいくつかの植物でできるようになっていました。しかし、植物が本来持っていない外来の遺伝子を導入しますので、遺伝子組換えの研究は法律の規制の下で、隔離された条件のみで行うことが可能です。現在も、この状況は変わりません。

私の目的は、前述のように、それぞれの遺伝子産物が、どのような生理学的な局面で機能分担をしているかというものです。これを明らかにするため、抗体による酵素タンパク質の局在や遺伝子プローブを用いてmRNAの発現集積する組織・細胞の可視化の研究を進めました。当時の結果とその後の遺伝子発現の特異性から、根の外側2層の細胞群でGS1;2[10、14]とNADG-GOGAT1[11、14]が、また葉身では維管束組織で師管に物質を送り込む働きを持つといわれている伴細胞や柔細胞でGS1;1[12、14]とNADH-GOGAT2[13]が、また頴果の背部維管束組織でGS1;3[14]とNADH-GOGAT1[9、14]が可視化され、それぞれが異なる機能を持っていることが示唆されました[14]。この機能を証明するために、それぞれの遺伝子破壊変異体を用いた機能解明を進めました。遺伝子の破壊法は、現在ではある程度狙いを定めて特定の遺伝子を標的にすることができるようになってきましたが、当時は1）種子に危険な化学物質である変異剤を処理して遺伝子変異体を作成する方法、2）同様に、放射線処理を用いる方法、3）前述のこぶ病菌のT-DNAが植物ゲノムにランダムに入ることを利用した方法、それに4）植物が本来持っている動く遺伝子（トランスポゾン、レトロトランスポゾン）を利用する方法の4つが、遺伝子破壊

図３　GS1;1 遺伝子破壊変異体の登熟期における表現型
左の写真は、野生型（通常のイネ）で、播種後 112 日目。穂は登熟している。
右の写真は、GS1;1 遺伝子破壊変異体の４個体で、播種後 140 日目。草丈は野生型の約半分で、穂に僅かに籾は形成されているが、種子は形成されていない。
出典は、引用文献（14）。

変異体を作出する方法に使われていました。いずれもランダムに変異したものから、自分の研究にあう変異体を検索して応用する方法です。ちなみに、４）の動く遺伝子は、1983 年に植物分野では唯一ノーベル賞を受賞したバーバラ・マクリントック（Barbara McClintock）博士の大発見に由来しています。

私のターゲットの遺伝子破壊変異体は、農水省イネゲノムプロジェクトで精力的に構築された変異体ライブラリーを使わせて頂きました。この変異体はレトロトランスポゾンを用いて作成されており、遺伝子組換えではないので、通常に栽培できます。この変異体ライブラリーは、私にとっては宝の山でした。この変異体を利用した逆遺伝学的なアプローチにより、それぞれの遺伝子産物の機能を推定することが可能です。さらに、これらの遺伝子欠損変異体に、通常の遺伝子を導入して植物の状態がもとに戻るかどうかを見ることにより（相補実験です）、遺伝子機能を証明することが可能になります。例えば GS1;1 遺伝子欠損変異体は、極端な成育遅延と種子の登熟抑制が認められ（図 3）、またこの形質（見た目の性質）は GS1;1 遺伝子の再導入で相補されました[14]。詳細は省略しますが、それぞれの遺伝子破壊変異体を用いた逆遺伝学的な解析とその相補実験から、根におけるNH_4^+の同化にはGS1;2とNADH-GOGAT1が共役して[15,16]、老化葉身からの窒素転流にはGS1;1とNADH-GOGAT2が共役して[13,14]機能を担っていることが証明されました。また、GS1;2が、幼苗における分げつ（枝分かれ）に必要なリグニン合成の際に放出されるNH_4^+の再同化にも関わり、代謝の恒常性を維持していることも明らかになりました[17]。ごく最近、イネ種子の登熟初期や発芽の局面でGS1;3が活躍していることも判明しました[18]。また、これらの変異体を用いて、トランスクリプトームやメタボロームといった、いわゆる網羅的な解析も、理化学研究所の方々と共同で研究を進め、窒素代謝の変異が他の代謝系に与える影響も俯瞰的に見ることができました[19]。イネ以外の主要穀物であるトウモロコシやコムギでは、ゲノム解析や遺伝子破壊変異体の整備は進んでおらず、私たちの研究成果はいずれも世界初の発見です。トウモロコシやコムギは同じイネ科であり、イネで得られた成果がこれらの重要な作物の窒素代謝の理解や、生産性・品質の向上に役立つことが期待されます。この頃が、研究の「離」だと思っています。

あまり良好な結果は得られませんでしたが、順遺伝学的なQTL（量的形質を決定する遺伝子座）解析も進めました。これは、見た目の形質（例えば、背が高い低いとか、緑が濃い薄いとかです）の差をマーカーとして、交配を重ね、最終的にその形質を決定している遺伝子座や遺伝子を同定する研究方法ですが、ここでは詳細を省きます。

研究成果は、毎年順調に国際学術雑誌に公表できており、また1997年にはじめて窒素の国際会議に招待されて以来、定年退職するまでに50回ほど欧米を中心に様々な国際会議において招待講演を行いました。3回程、国際会議を主催することもできました。この詳細は、教養教育院叢書第4巻[3]に書きましたので、興味がありましたらご一読下さい。世界中の多くの研究者と知り合うことができ、大きな財産を作ることができました。一緒に研究を進めて頂いたスタッフや多くの学生・院生の皆様に、深く感謝しています。

第五節　様々な研究・行政機関担当時における転換点

JSPSの未来開拓学術研究推進事業のプロジェクトリーダーを仰せつかった頃から、徐々に文部省（当時）、科学技術庁（当時）、文部科学省、農水省、経産省、JSPS、理化学研究所などの省庁や、岩手大学、東京大学、新潟大学等の他大学から、○○委員会委員、□□評価委員、△△専門委員などなどの依頼が多くなりました。いずれも、お断りできないルートで話がきますので、前向きにとらえるしかありません。私にとって特に大きかった出来事は、2001年から4年間兼務した理化学研究所植物科学研究センターのグループディレクターを仰せつかったことと、2007年から3年間兼務したJSPS学術システム研究センター[20]の主任研究員を仰せつかったことです。この2件は、研究の幅を広げる意味で、大きな転換点になりました。

理研の植物科学研究センターは新設で、実は設置するかどうかを審議する委員会にも加わっていました。このセンターでは、代謝グループを牽引することになり、2チームの人選から研究推進、研究進捗の評価などにあたり、多くの研究者と接する機会を得ました。当初2年間は埼玉県和光市の理研本体での間借り生活、後半の2年間は神奈川の鶴見市に移転し、研究を推進していました。2人のチームリーダーや、各チーム数人の研究員やテクニカルスタッフは、皆さんとても優秀な方々です。現在は、環境資源科学研究センター[21]と名称を変更しましたが、日本の植物学研究の牽引車となって、発展しています。

JSPSの学術システム研究センターの主任研究員は、学内から推薦されて同センターで審議後、任命されます。このセンターは2003年に新設されたもので、科学研究費や特別研究員の採択にあたり厳正で透明性の高い審査システムや評価システムを構築することを目的に設立されました。私は、農学調査班の2代目の主任研究員に任命され、科研費や特別研究員採否を決める各委員会委員の選定や、各委員の事後評価、委員会への陪席（お目付役です）、全国の大学での説明会やJSPS諸事業への提案・助言など、とても忙しく過ごしました。毎週金曜日に全領域調査班の主任が集まる会議や農学調査班会議があり、木曜日の夜に東京泊、金曜夜に帰仙の日程が3年間続きました。大学に不在だったときの仕事はそのまま残っていますので、土曜日か日曜日に出勤です。大変でしたが、文系から医歯薬系まで様々な学術領域の先端を歩んでいる先生方に接する機会があり、視野が大きく広がった貴重な体験でした。主任研究員だった当時、多くの大学に依頼されて、科研費制度や審査体制の説明会をしました。熊本大学と岡山大学での説明会を、一泊二日で行ったこともあります（仙台→伊丹→熊本、新幹線で岡山、岡山泊、翌日岡山で説明後、新幹線で新大阪、伊丹→仙台、タイトですね。水前寺公園を見たかったのですが、JSPSに却下されました）。学内でも、当時はまだシステムセンターの研究員があまり多くなかったことから、片平・川内・青葉山・星陵の4キャンパスで説明会を一日で行う厳しい予定を組まれ、疲れ果てた記憶があります。でも、学内の多くの先生方にお目にかかれたのも、財産になりました。

この頃、農学研究科の執行部の一員もしておりました。JSPSの仕事が2009年に終わったのでやれやれと思っていたところ、2010年から3年間、農学研究科長・農学部長に選出されてしまい、部局運営に本格的に参画するようになりました。ご承知だと思いますが、東日本大震災は2011年3月11日の14:46に発生しました。雪の降る寒い日で、いつまで経っても揺れが収まらない、とんでもなく大きな地震でした。私は1978年の宮城県沖地震も経験していますが、その比ではありません。就職が決まっていた学部4年生の学生さんが津波に流され、大変残念な事に亡くなられました。女川の施設には10人以上の方々がおられましたが、連絡は3日間ほどとれず、大変心配しました（その後、全員の無事が確認できました）。雨宮町にあった建物は、戦後から少しずつ継ぎ足しで建てられており、倒壊は免れたものの、水道管、下水管、ガス管、スチーム管など大きな被害を受け、さらに4月7日の余震でズタズタになり、研究科長の仕事は地震被害からの復旧と、一刻も早い青葉山キャンパスへの移転に費やされました。青葉山新キャンパスへの移転を決定しましたが、最初の退職時期と重なり、新築の建物に入れなかったのが残念です。研究科長を退いた2013年から、当時の教育担当理事のH先生から頼まれて、国際高等研究教育院（現在の学際高等研究教育院）の院長を、また2014年から2年間は、当時の研究担当理事のI先生からの依頼で、URAセンターの副センター長を併任しました。2015年に最初の退職をしましたが、その後も2020年まで、学際高等研究教育院の院長を務め、また最後の3年間は教養教育院の一員にもなりました。学際高等研究教育院では、2022年現在もシニアメンターとしてボランティア活動を継続していますが、教育院生の皆様には、専門外の人たちに自分の研究をわかりやすく説明することの大切さや、質問された内容をしっかり理解してから答えることの重要性など、JSPS学術システム研究センターでの経験を活かしつつ、伝える努力をしています。東北大学に在籍している皆さんは、将来の日本あるいは各研究分野を牽引する優れた人財ばかりです。自信を持って、また瞬間・瞬間を楽しんで歩んで下さい。

第六節　学会活動における転換点

大学院時代から、国内の複数の学会に所属していました。年に1～2回、学会で発表することを目標としていて、発表に対する質問やコメントが私の先生でした。多くの仲間もできて、学会には大変お世話になりました。大学のスタッフになってからは、学会から頼まれた委員会委員も引き受けていましたが、大きな出来事は2012年1月から日本植物生理学会が刊行している学術雑誌のPlant and Cell Physiology誌の編集長になったことです。これも、辞退できる状況ではない形で依頼され、農学研究科長の最終年にもかかわらず、引き受けてしまいました。学会活動における、非常に大きな転換点です。当時、論文の引用回数を目安に定めたインパクトファクター（IF）の数値で見る限り、日本で刊行している全ての学術雑誌の中でトップクラスであり、海外からの論文投稿も多く、国際的な学術雑誌でした[22]。当時、学会や編集委員会では、目指せIF 5.0以上を目標としていて、私が編集長在任期間で最高はIF 4.98（惜しい！）。編集長の役割は、如何に質の高い論文を掲載するかどうかが一番です。したがって、編集に携わる編集委員（editor）も、世界各国で優れた成果を出している先生方にお願いし、質の向上を目指しました（現在も）。一年間に新規に投稿されてくる原稿は約500編、改訂後の再投稿も同程度ありましたので、イメージとしては週に3～5編程度の論文を読んで、採否を決める必要があります。編集委員の先生方の負担を極力減らす意味でも、投稿してきた時点であまりにも完成度の低い論文は、編集長である私のところでrejectする努力もしました。つまり、責任をもって、一生懸命に読まなくてはいけないということです。当時は、ちょうど紙媒体での投稿と、インターネットを介した投稿の切り替えの時期であり、紙媒体の場合は、手に持っただけで切手代はいくらとわかる程、多くの郵便物を扱いました。専門分野が多少違っていても、良い論文か完成度が低いか、1年も経たずに判断できるようになりました。問題点が明確か、それは新規性があるか、問題に対する答えは書かれているか、波及効果はありそうかなどが、判断基準になります。学術論文は、新発見が一つあれば書くことができます。また、仮定の仮定は、科学論文ですので認められません。将来、科学論文を書かれるときは、留意して下さい。

学術雑誌の編集に携わると、否応なしに研究不正[23]に直面します。重大な不正は、捏造、改ざん、盗用と言われていますが、編集側では多重投稿も大きな不正になります。研究不正があった場合は、すでに論文が公表されている場合はその論文の取り消し（retractionと言います。STAP細胞で有名になりましたね）、公表前の場合は直ちに却下（rejectと言います）、悪質な場合はその後の雑誌への投稿はすべて認めないなどの判断をし、著者や著者が所属する研究機関に周知します。この時点で、不正を行った人は、研究者の道を絶たれます。私が関わった数件では、改ざん、盗用、多重投稿がありました。改ざんでは、論文公表から数年経過していた論文を取り消し、盗用は直ちに却下しました。なお、盗用での本人のコメントは、自分は英語圏の研究者ではないので、公表されていた英文を大いに参考にしたというものでしたが、これは許されません。大変だったのは、多重投稿です。ある editor の先生から、審査をお願いした論文を他の学術雑誌の審査で読んだことがあるという通報からでした。本人への事実確認や、他の学術雑誌の編集室との相談をして、最終的にはすべての雑誌で却下し、ブラックリストに載せるという結果になりました。また、すでに他のオンライン雑誌に掲載されている論文が改めて投稿されてきたケースもありました。本人に確認したところ、Plant and Cell Physiology に採択されたらオンライン雑誌を取り下げるという返事で、あきれてものが言えません。他にもいくつかの研究不正を目の当たりにしましたが、研究の作法に関する教育が出来ていない国が結構あるという印象を持ちました。研究不正は、いずれも確信犯です。しかも、自分の研究者人生や職務を賭けての犯罪になります。日本でも、研究不正の結果、大学にある研究室や研究組織の廃止に至った例がいくつもあります。加えて、研究費の不正もありますね。残念ながら、医歯薬系や生物系に研究不正が多い状況です。このような背景をもとに、私が教養教育院に在籍していた当時、入学間もない医歯薬系学部の 1 年生に 15 時間の研究不正の講義をしました。実感は全く無かったと思いますが、将来のためです。

おわりに

「守破離」、私の個人的な経験の一例でした。この原稿を書いている私は、現在 72 才です。こうして振り返ると、研究の転換点は大小含めてたくさんありましたが、いずれもその時点では転換点である認識を持っていませんでした。ふらふら漂って現在に至る訳ですが、転換点では自分の意思で道を選んで来たのは確かです。したがって、すべては自分の責任であり、仮に誤った選択でも納得できています。多分、大切なことは、道を選択するにあたって、可能な限りその時点で多くの情報を集め、判断材料をできるだけ多く持つことなのではないでしょうか。同時に、年齢を問わず、人のネットワークを広げることも大事だと思います。コロナ下で、大変な時代ですが。ある集団で、顔と名前が一致するのは100人程度であると誰かに聞いたことがあります。集団ごとに100人ですので、例えば研究者仲間、趣味の仲間、大学の同期の仲間、学会の仲間、研究室の同窓生、海外の友人などなど、集団の数を増やせば増やすほど、ネットワークは大きく広がります。ライフワークの軸をぶれずに持てれば、メリハリのある「守破離」が待っていると思います。

私は、若い頃から集中力が2時間程度しか持続せず、朝型です。研究科長・学部長を引き受けた際に、教授会等の会議は最長2時間までと言って、失笑された記憶があります。いつも、午前中は考える仕事、午後からは考えなくてもできる仕事と分けていました。いつも早めに帰宅していました。現在も変わりません。博士課程2年の時に、概日リズムを測定するため、24時間観察の実験を組んだことがあります。2ヶ月くらい、費やしました。当時26才でしたが、一日徹夜で実験すると、一週間の残りはぼんやりして何もできなかったことを明瞭に記憶しています。この頃、作業効率をよく考えました。時間あたりの仕事量です。効率をあげるには、気分転換が極めて重要であるという結論に至り、一日、一週間、一年の単位を問わず、気分転換する時間を設け、実践してきました。長時間、同じような仕事をしていると、良いアイディアは生まれません。後になって気づく転換点を自分の責任で乗り切るためにも、休みや遊びの時間は大切だと思っています。あくまでも集中力が切れやすい私の場合ですが、ご参考まで。

最後に、私の研究の転換点は生活の転換点でもあり、生活の場がころころ変わりました。私の都合で、東北とは文化の異なる北米や岡山に移動したにもかかわらず、一緒に動いて支えてくれた妻と子供達に心から感謝しています。

註・参考文献

1） https://www.jsbba.or.jp/wp-content/uploads/file/nougei/jsbba_pamphlet.pdf

2） Yamaya, T. and Ohira, K.（1976）Nitrate reductase inactivating factor from rice cells in suspension culture. Plant and Cell Physiology 17 : 633 -641.

3） 山谷知行（2021）異文化の体験 “coffee or tea?”、『東北大学教養教育院叢書　大学と教養　第 4 巻　多様性と異文化理解』、pp.103 -126

4） Yamaya, T., Solomonson, L.P. and Oaks, A.（1980）Action of corn and rice-inactivating proteins on a purified nitrate reductase from *Chlorella vulgaris*. Plant Physiology 65 :146 -150.

5） 山谷知行（1988）植物葉における光呼吸窒素循環系、化学と生物、26:813 -821.

6） Yamaya, T., Oaks, A., Rhodes, D. and Matsumoto, H.（1986）Synthesis of［^{15}N］glutamate from［^{15}N］H_4^+ and［^{15}N］glycine by mitochondria isolated from pea and corn shoots. Plant Physiology 81 : 754 -757.

7） Yamaya, T. and Oaks, A.（1988）Distribution of two isoforms of glutamine synthetase in bundle sheath and mesophyll cells of corn leaves. Physiologia Plantarum 72 : 23 -28.

8） Kamachi, K., Yamaya, T., Hayakawa, T., Mae, T. and Ojima, K.（1992）Vascular bundles-specific localization of cytosolic glutamine synthetase in rice leaves. Plant Physiology 99 : 1481 -1486.

9） Hayakawa, T., Nakamura, T., Hattori, F., Mae, T., Ojima, K. and Yamaya, T.（1994）Cellular localization of NADH dependent glutamate synthase protein in vascular bundles of unexpanded leaf blades and young grains in rice plants. Planta 193 : 455 -460.

10） Ishiyama, K., Inoue, E., Tabuchi, M., Yamaya, T. and Takahashi, H.（2004）Biochemical backgrounds of compartmentalized functions of cytosolic glutamine synthetase for active ammonium assimilation in rice roots. Plant Cell Physiology 45 : 1640 -1647.

11） Ishiyama, K., Hayakawa, T. and Yamaya, T.（1998）Expression of NADH-dependent glutamate synthase protein in epidermis and exodermis of rice roots in response to the supply of nitrogen. Planta 204 : 288 -294.

12） Sakurai, N., Hayakawa, T., Nakamura, T. and Yamaya, T.（1996）Changes in the cellular localization of cytosolic glutamine synthetase protein in vascular bundles of rice leaves at various stages of development. Planta 200 : 306 -311.

13） Tamura, W., Kojima, S., Toyokawa, A., Watanabe, H., Tabuchi-Kobayashi, M., Hayakawa, T. and Yamaya, T.（2011）Disruption of a novel NADH-glutamate synthase2 gene caused marked reduction in spikelet number of rice. Frontiers in Plant Science 2:57, doi : 10.3389/fpls.2011.00057（online journal）

14） Tabuchi, M., Sugiyama, K., Ishiyama, K., Inoue, E., Sato, T., Takahashi, H. and Yamaya, T.（2005）Severe reduction in growth rate and grain filling of rice mutants lacking OsGS1;1, a cytosolic glutamine synthetase1;1. The Plant Journal 42 : 641 -651.

15） Tabuchi, M., Abiko, T. and Yamaya, T.（2007）Assimilation of ammonium-ions and re-utilization of nitrogen in rice（*Oryza sativa* L.）. Journal of Experimental Botany 58 : 2319 -2327.

16) Funayama, K., Kojima, S., Tabuchi-Kobayashi, M., Sawa, Y., Nakayama, Y., Hayakawa, T. and Yamaya, T. (2013) Cytosolic glutamine synthetase1;2 is responsible for the primary assimilation of ammonium in rice roots. Plant and Cell Physiology 54:934-943.

17) Ohashi, M., Ishiyama, K., Kusano, M., Fukushima, A., Kojima, S., Hanada, A., Kanno, K., Hayakawa, T., Seto, Y., Kyozuka, J., Yamaguchi, S. and Yamaya, T. (2015) Lack of cytosolic glutamine synthetase1;2 in vascular tissues of axillary buds caused severe reduction in their outgrowth and disorder of metabolic balance in rice seedlings. The Plant Journal 81:347-356.

18) Fujita, T., Beier, M.P., Tabuchi-Kobayashi, M., Hayatsu, T., Nakamura, H., Umetsu-Ohashi, T., Sasaki, K., Ishiyama, K., Murozuka, E., Kojima, M., Sakakibara, H., Sawa, Y., Miyao, A., Hayakawa, T., Yamaya, T. and Kojima, S. (2022) Cytosolic glutamine synthetase GS1;3 is involved in rice grain ripening and germination. Frontiers Plant Science 13:835835. Doi :10.3389/fpls.2022.835835 (online journal)

19) Kusano, M., Tabuchi, M., Fukushima, A., Funayama, K., Diaz, C., Kobayashi, M., Hayashi, N., Tsuchiya N. Y., Takahashi, H., Kamata, A., Yamaya, T., and Saito, K. (2011) Metabolomics data reveal a crucial role of cytosolic glutamine synthetase 1;1 in coordinating metabolic balance in rice. The Plant Journal 66:456-466.

20) https://www.jsps.go.jp/j-center/index.html

21) http://www.csrs.riken.jp/jp/

22) 山谷知行 (2013) 学会の役割を考える:日本植物生理学会が誇る国際学術雑誌 Plant and Cell Physiology の発行を通じて、情報管理、56:21-27.

23) 黒木登志夫 (2016)『研究不正：科学者の捏造、改竄、盗用』、中央新書、中央公論新書。

第四章　自然災害がもたらせた転換期

今村　文彦

はじめに

今回、第6巻のテーマとして「転換点を生きる」というお題をいただき、東日本大震災での事例も含めて私個人の経験を記述させていただきたい。従来の原稿の依頼では、私の専門でもあるので、最近の自然災害の多発の中で、そのメカニズム、被害実態、そして対応・対策に関する相談は多くいただいているが、今回のように、自分自身の出会いや転換点における思いなどについて触れることはほとんどない。この貴重な機会をいただき、自分自身の振り返りをして、いままでを見つめ直しながら原稿を書かせていただくことにした。時系列的に振り返ることが、私には整理しやすいので、専門分野である「津波工学」との出会いというところから始めさせていただき、国内外での被災現場での思い、気づき、そして専門分野での発展などを紹介したいと考えた。最後は、東日本大震災での衝撃であり、この災害をどのように自分の中で受け止めて、被災地支援を通じて新しい分野を模索していっているのかについて触れたい。書き進めていくと当時の思いが蘇り、かなり自叙伝的な内容になることをお許しいただきたい。

第一節　津波工学との出会い

1.1　研究室の配属と1983年日本海中部地震津波の発生

海のない山梨で育った自分にとって、東北大学への入学は新たな人々や自然・環境との出会いであった。仙台市内からバイクで1時間以内に移動できる松島など沿岸の風景は、どの時間や季節であっても魅力的であった。当時、潮の満ち引きについてさえも十分に知識がなかった者にとって、沿岸の風景や営みや変化、さらに磯の香りは格別であった。大学2年生の時には、三陸沿岸から下北半島を通過して、日本海沿岸に抜けていく小旅行をした。そこには、今に繋がるいくつか印象的な風景があった。1つは沿岸に整備されたコンクリート製の防潮堤であり、道路の片隅に建立された石碑であった。リアス式海岸の風光明媚な沿岸にある施設としては、何か違和感を少し感じていた。その後、学部3年生の河川工学の授業を受講し、首藤伸夫教授（津波分野での専門家でもあった）の現場での体験や研究についての生き生きとした話しぶりに興味が深まり、水工学を目指して、4年生（1983年の4月）の時に河川工学研究室への配属を希望した。約1ヶ月後の5月24日に秋田沖でM7.7の地震が発生し、各地に津波警報・注意報が発表された。ちょうど、学科内のソフトボール大会があり準優勝（首藤研では初めての快挙）し、学生・教員・スタッフとも昼休みを迎える時間帯であった。当時は、限られた情報しか得られなかったが、首藤教授をはじめ教員と大学院生はその午後に被災現場に向かうことになった。当日の4年生は留守番役となったが、大規模な災害にはじめて接することになり、テレビの前に釘付けになっていた。

被災調査は短期に終了するはずもなく、2週間後に4年生も駆り出されて、被災現場に立つことができた。そこには、破壊された住宅、流木、船舶や車が横たわり、無残な状況であった。この時、津波被害状況は浸水内と外とに大きな境界があり、明らかに明暗を分けていた。さらに、現場での「匂い」がきつく呼吸も困難な時もあった。この状況は、どの津波被災現場でも共通であるが、文章や映像ではお伝えし難い状況である。行方不明者の捜索も続けられ、全体で104名の犠牲者を出し、その内100名が津波が原因であった。10年後に、同じ日本海で発生した北海道南西沖地震および奥尻島などを襲った津波でも多くの犠牲者を出していた。地震の後に発生する津波に対して、如何に命を守ることができるのか、自分の中での命題となった。その後、大学院修士課程では津波など長波数値計算の開発を、博士課程では数値計算による津波予警報の可能性に関する研究を行った。当時、世の中にスーパーコンピューターが出はじめ、そのユーザーの一人であった。青葉山の工学部キャンパスから片平キャンパスにある大型計算機センターに通う日々であった。夏には、エアコンの効いた部屋で思わず、眠気が襲い夢の中で作業したこともあった記憶が残る。

1.2　津波工学とは

「津波（TSUNAMI）」は日本発の世界語であり、近年その被害が増加している。従来は、被害を出すような津波は10～20年に1度程度であったが、特に21世紀に入り、2004年インド洋大津波、2010年チリ中部地震津波、2011年東日本大震災での津波、2018年インドネシア・パル地震・地すべり性津波、クラカタウ火山性津波による被害発生の状況は特出している。2004年インド洋大津波では、インド洋沿岸での住民だけでなく，欧米や日本からの旅行客の多くも犠牲になった。この中で、如何に津波災害から人命を守り、被害を軽減するかが国際社会の重要な課題となっている。なぜならば、津波は地震などの自然現象を原因として発生し沿岸域へ来襲するために一定の影響を与える時間があり、そこで、我々自身の命を守る行動すなわち避難を適切に実施すれば人的被害が大きく軽減できる。学生時代に日本海中部地震津波の調査等を通じて持つことになった命題である。したがって、津波の原因と影響を如何に知り、その脅威を避けることができるのか？　我々の意識や知識、さらには行動力が問われている。加えて、広域で甚大な被害を与える災害であるが、沿岸での防災施設や土地利用計画などを工夫すれば、住宅・インフラ被害、経済被害なども大いに低減できる。

このような、ハード・ソフト対策や地域計画をサポートする研究分野が「津波工学」になる。1990年に東北大学工学部にある附属災害制御研究センターに世界ではじめて設置され今日に至っている。私が大学院を修了した翌年にこのセンターの活動が始まり、その一員となれたことは大変に好運であった。災害対策・制御の理念を基盤として、国内外の現地調査研究、高精度津波数値予測システムの開発、自然力（海岸林など）を活かした津波減災技術の開発、防災教育・啓発、可視化技術の開発、歴史・地質情報を用いた古津波の頻度・規模の推定など、学際的かつ国際的な研究を実践できるようになった。東北大学で開発された津波解析プログラムは、ユネスコ・IUGG（国際測地地球物理学会）、TIME（Tsunami Inundation Modeling Exchange）という国際プロジェクトを通じて、津波常襲地などに技術移転されていった。特に、1992 年 9 月の中米ニカラグア地震津波、12 月インドネシア・フローレス島地震津波では、国際調査チーム（International Tsunami Survey Team）が編成され、それ以降、世界から専門家が協力して被災現場での調査やその後の復旧の支援を行っていった。当時から、インターネット、メール、WEB などの利用が進み、情報交換や提供などが大変に容易になっていたことが、より国際連携を高めて行った。大学院生時代は、コンピューターの中の仮想空間で思いを馳せていたが、この時にリアルの現場を経験できたことは、実践的な防災という分野への大いに転換の場になった。

さらに、関係する分野は広がり、リスクの長期評価、多重防御システム、災害情報・認知、津波からの生存学など新しい分野に進展している。現在は、津波工学研究分野は地震津波評価研究寄附部門（東京海上日動）とも連携し、30 名近い教員・スタッフそして学生とともに、おのおのの研究テーマ・実践推進テーマを担っていただいている。海外からは、インドネシア、タイ、韓国、ペルー、ポルトガル、米国、タイ、フィリピン、台湾、フランスからの留学生がここで学び、修了後には国内外で活躍されている。現在は、東シナ海での津波リスク評価、警報システムの提案、地球規模気候変動の影響など、よりグローバルな課題に取り組んでいる。

1.3　過去の津波災害　－大震災前の取組

人類の歴史より遥かに長い年月の中で、日本列島周辺でのプレート構造が形成し維持され、そのプレート境界で、地震、津波、火山などが発生している。プレートの移動速度の違いが境界での歪みを蓄積し、それがある限界で放出され地震などが発生すると説明される。この地震活動に伴って多くの津波は発生するために、過去を知ることは非常に大切であり、この発生状況を評価できれば、将来の予測（予知ではない）が可能となることは広く理解されている。したがって、歴史を知ることが未来を知ることに繋がっていく。我が国の歴史を遡ると様々な古文書記録が残されているが、東北地方では、貞観11年（西暦869年）の地震・津波について詳細に知ることができる。平安末期の貞観時代に、仙台・石巻平野沖を含む長大な範囲を震源にした地震および津波については古文書（三代実録）などに記載があり、さらに地中に残された痕跡である津波堆積物の研究から少しずつその姿が見えてきていた。当時、東北大学理学部箕浦幸治教授らとの仙台平野での津波堆積物調査とその結果を説明できる津波の推定を行っていた。現場での津波堆積層の調査も広範囲で困難であったが、貞観時代の津波現象を再現するには、地震や津波の初期条件だけでなく、地形条件（海岸線や陸上地形）を推定することが必要であり、試行錯誤でその姿を探っていった。この津波の解析を行うことによって、数十年から百年単位の短い周期で津波被害がある三陸沖に比べて、過去の被害や将来リスクの印象が薄い仙台湾以南にも大津波が広範囲で浸水していったことが推定できた。この周期は地震（たとえば、宮城県沖地震など）に比べて非常に長いため、その時の経験や教訓が伝承しづらいという実態もあり、防災対策の実施には困難があった。

2004年インドネシア・スマトラ島沖のマグニチュード9.3の地震による津波の被害は甚大で広域であった。当日、インド洋のリゾート地に滞在していた観光客も含めて23万人の犠牲者が出たと推定されているが、その人的被害の実態は明確ではない。この地域は太平洋沿岸と比べて地震や津波の頻度は低く、過去の被害の経験はなく対策がほとんどなされていない地域であった。この悲劇をきっかけに、日本でも、歴史史料に残されていなくとも、このような甚大なしかも過去の規模を遥かに超える災害についても考えなければならないという機運が高まり、行政や市民などと地域での取組を検討していた。そのため、先ほど紹介した仙台平野などの津波堆積物調査により低頻度のイベントを探ることの重要性が認識されていった。さらに2010年には、マグニチュード8.8のチリ中部地震があり、一連の活動で巨大地震の時代に入ったのではという指摘もあった。ただし，我が国や東北地域でもすぐに対策が強化され、取り組まれたわけでなく、防災マップや避難計画にしても、沿岸防護施設である防潮堤・防波堤の整備にしても、時間と予算も限られている中多くの困難があった。

2004年インド洋津波でのバンダアチェの映像等で報告された津波およびその被害は甚大であり、この地域（平野）と仙台の類似性を感じていた。2010年4月には仙台東部地区津波対策会議が仙台市長宛に陳情書（署名1万4305名分）を提出し、遠隔地大津波の来襲に備えて、住民の避難場所として仙台東部道路を利用できるよう配慮願いたいとの内容が入れられた。また、2010年6月には仙台東部地区津波対策会議よりNEXCO仙台管理事務所長に「津波対策避難所確保に関する要望書」が提出されている。この間、仙台東部地区津波対策会議のメンバーと面談し、活動への支援とアドバイスを行っていた。その後、同年11月には、NEXCO東日本の関係者と地震・津波発生時の対応について情報・意見交換を行っていた。2010年10月9日（土）午後2時から仙台七郷市民センターにおいて、講演会が開催された。主催は仙台東部地区津波対策連絡会（会長　大場光昭氏）であり、仙台市消防局、NEXCO東日本、自衛隊などの関係者や住民など約250名が参加し、過去の地震事例の紹介や仙台東部道路が津波に流されることはない等を説明していった。講演会のタイトルは、「最近の地震津波被害の実態と今後の対策－教訓と地域での防災活動に活かす」であり、内容としては①災害は突然やってくる－災害の語録、②チリ津波の被害実態と教訓、③日本海中部地震津波の悲劇、④2004年インド洋大津波、そして⑤仙台周辺での過去の地震津波であった。特に、仙台周辺での過去の津波では、史料に残された仙台付近の津波の歴史に加え、津波堆積物（痕跡）を紹介していた。仙台平野での調査風景として、ジオスライサーによる掘削、検土杖による掘削を紹介し、南長沼付近での掘削した堆積物の例を見ていただいた。具体的に、仙台平野での過去の津波の痕跡（分布形状）を目の前で確認していただいたことになる。年代推定によると、貞観時代であり、今回の結果を踏まえて貞観地震の断層モデルおよび発生する津波の遡上範囲を示した。

第二節　東日本大震災の衝撃

2.1　東日本大震災の発生－悪夢からの再出発

2011年3月9日に、宮城県沖で地震が発生し、津波注意報も出たが、大きな被害にはならなかった。当時、想定宮城県沖地震の南部で小規模な地震もあり、地震が少し活発化している様相もあったので心配していたが、少し安堵した記憶がある。この宮城県沖地震での発生確率は高く、長期評価に基づき被害想定も実施され、各地で対策が進められていた。当時の対象は、宮城県沖単独（M7.5前後）と連動（M8.0前後）に絞られ、歴史の中でも繰り返されていた。そして、2日後の11日14時46分に東北太平洋沖で巨大な地震が発生し、衝撃的な津波が沿岸部を襲った。当時、気象庁での勉強会を終え、霞ヶ関付近で遅い昼食を終えていた。横揺れが段々激しくなり、その強震は止まる気配を感じなかった。建物の1階であったが身の危険も感じるほどであった。この付近では、東海地震がいつ起きてもおかしくない切迫性があったので、その地震と重ねた。インターネットが通じていたので、震源を確認したところ宮城県沖で表示され、なぜと疑問をいだきながら、海洋保安庁のWEBで潮位変動を見守った。パソコン上には、一気に水位が低下していく様相が示されていき、1mを超えた辺りで巨大な津波の初動であることがわかった。いまだ状況をよく理解できなかったが東北地方で今の地震で巨大な津波が発生していることは確信できた。すぐに、近くにある内閣府（防災担当）の建物に入り、オフィスにいた職員と偶然居合わせた富士常葉大学の重川希志依教授と田中聡教授らと、今回の地震と津波について話すことになった。オフィスに設置されたテレビがライブで仙台沿岸を襲う津波を放映していった。「あー、貞観津波の再来だ」と直感でわかった。津波は住宅も含めて沿岸地域を飲み込んでいった。沿岸の道路に沿って避難している自動車が飲み込まれていく姿もあり、言葉が出なかった。すでに来襲している津波に対して、ここで何ができるのか？答えがでないまま、悪夢を前に立ちすくむのみであった。その後は、偶然に携帯電話がつながった担当の依頼を受けて、六本木にあるテレビ朝日の緊急報道番組に出ることとなった。その夜は地震調査委員会も開催され、通常では10分もかからない文科省へ2時間以上かけて移動していった。都内は人と車で埋め尽くされ、暗い闇の中で余震が続いていた。自宅や研究室にも連絡が取れずに、安否確認もできなかった。異常な緊張感の中で、次に何をしなければならないのか、冷静に考えようとしていたが、頭の中では、仙台での以前の避難訓練、各地での防災担当者、津波解析結果、インド洋津波の被災現場などの映像が、堂々巡りしていた。翌日になんとか仙台に戻ることができたが、沿岸での被災状況は想像を遥かに超えていた。

筆者も被災地域の住民であり、大学も被災したという困難の中で、まず、被害実態と今後の復旧・復興に必要なデータ・情報を現場で調査し収集していった（写真1、2）。津波の研究史上、もっとも観測網が高密な日本で起きた大きな津波ではあるが、直後に、全体像を把握するには多くの困難があった。単独で調査を実行できるレベルではなく、関係の専門家・関係機関担当者に協力・分担いただきながら、広大な被災現場での調査が始まった（森、2011）。得られた測定や解析データも膨大であり、それらと格闘しながら整理が進められた。やっとの思いで得られた実測値と解析値の両者を結びつけながら、我が国最大で最悪の大震災の実態が少しずつ理解できるようになっていった（今村、2015）。

過去の辛い経験の中で蓄積された我が国での知見や具体的な対策は、世界の中でも高く評価されていたが、今回の大きな被害を出した現状を目の当たりにして、当初は無力感が襲い思考停止にもなった。なぜ、日

写真１　仙台湾沿岸部での津波により破壊された建物（住宅地域）

写真２　沿岸で被害実態について聞き取り調査

本でしかも東北で、このような大災害になってしまったのか？　自問自答が続いていた。しかし、そこでいつまでも止まっているわけにもいかなかった。被災現場で、防災担当者、被災された方とお会いし、話をさせていただく中で、大震災前に行っていた活動が無駄ではなかったのではと、感じることもあった。ハザードマップの作成を担当し、その浸水域を遥かに上回った津波が多くの命を奪ったという現実がある。当時の責任を問われ、批判されるのは当然であったが、逆に温かい言葉をいただいたこともあった。多くのメディアから、限りない質問と疑問もいただ

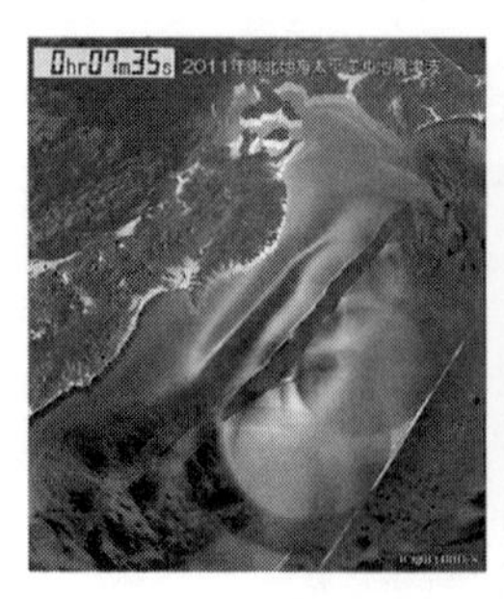

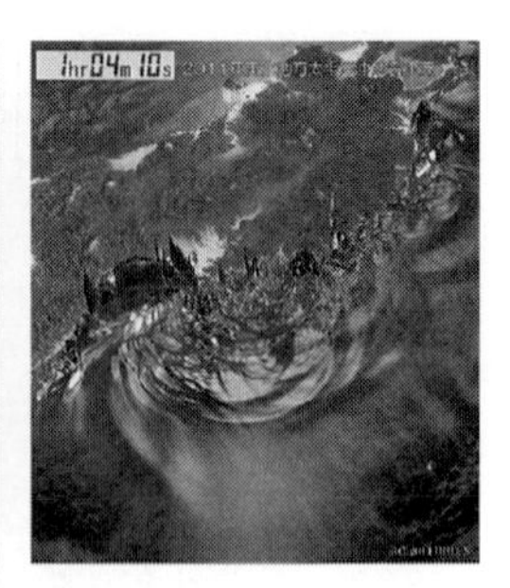

図１　東日本大震災での津波伝播過程の様子

いた。それに応じていく中で、ある程度、自分の中で整理ができてきたのではないかと振り返る。また、現場で調査を進める中で津波の実態が少しずつその姿も把握できるようになってきた（図１)。どのような災害と規模で、なぜ起こったのか、段階的に実態が見える中で、専門家としてすべき方向が見えてきたと思われる。もちろん、これから先も研究し、正確に多面的に実態をさらに理解しなければならない。しかし、被災現場では応急対応から復旧･復興への対策への移行が必要であった。リアルタイムで現場において得た知見を踏まえて、いま何ができるのか、そして被災地に何が必要なのか、をお伝えしなければならない。発災から約半年経った時点であった。

まさにその頃に、2012年度に向けて東北大学に災害科学国際研究所を設置する構想も動いていた。理工系と人文社会科学系、さらに医学系の分野で学際連携を実践する組織が必要であり、そこに、津波工学の研究分野をさらに発展される場が形成されつつあった。特に、地震発生から、警報発表、避難指示･勧告の発令、そして沿岸域での住民や偶然その地域に居た方々の行動、そして、津波来襲。繰り返す津波によって破壊される建物・構造物、流される瓦礫（写真1)、そして火災などが各地に発生していた。

津波とは、海水が海域から陸上に入ってきて浸水し、さまざまなものを破壊していくのが基本的な姿であるが、今回はそれとは違う姿も見えてきた。いわば黒い津波である。土砂を巻き上げる、さらに言うと漂流物・船舶・車・建物の瓦礫、これらが一気に内陸に運ばれてきた。われわれが知っている水という実態ではない。さまざまな泥や砂が混じった混相流（黒い津波）がそこにあった。それにより津波肺や呼吸困難で亡くなった方もいる。その実態を解明し、そこから被害を軽減するためにはどうしたら良いのか、という新しい研究も始まった。津波による被災の実態は、その姿と人間行動とを重ねる中で見えてきた姿であった（今村、2020）。

加えて、古文書をみずから調べたり、歴史の専門家と連携して過去の地震・津波を探る、という研究は以前から行われていたものの、震災以降「過去」の中身にも変化が出てきた。今回の震災はいわば千年に１回と言われている低頻度であるので、江戸時代（慶長時代など）まで探るというようなとらえ方では足りなかった。地質学的・堆積学的な研究も加わって、千年以上、数万年に１回のような低頻度のものも対象とし研究するという考え方に変わってきている。

このような連携研究の中で印象に残ったことの１つが、先人達の津波についての記述であった。津波について、我が国の古文書に残された記事を見ると、「大潮高騰、海水飄蕩」（「古事記」）、「海水漲移」、「大波浪」（「中右記」）「大山のごとくなる潮」（「太平記」）などの様々な記載があるが、「津浪（波）」という記載が確認できるのは江戸時代（駿府政事録など）頃である。さらに当時、「震汐」、「海嘯」などの表示もある中、1833年出羽沖地震津波において残された「大谷辺ヨリ輪島迄血波（ちなみ）上がり」（石川県金蔵町正願寺過去帳）という記述は忘れられない。先人は、すでに大量殺人鬼としての津波を認識していたことになる。さらに、災害歴史学の蝦名裕一准教授に教示いただき、宮城県においても、『宮城郡陸方大代村風土記御用書出』（『宮城県史 32』1970 収録）に以下のように記されている。

一，古碑　壱ツ　菊カ岡ノ碑と云ふ．但シ不明ニシテ其侭トナリシガ多分慶長以前ノ血波ノ節沈埋シタル由，申伝候事

津波という言葉は国際語になり世界各地で紹介され、津波という現象を適切に示すものであるが、その脅威について十分に知ることは簡単ではない。その中で、血波という名称は、まさにその殺人的な姿を知ることができると思われる表現である。

2.2　人的被害を軽減するには－情報と避難

大震災から１ヶ月経った頃であったが、犠牲者の９割が津波を原因とした水死（溺死）であると報道された。極めて無念な実態であり、大きな課題となった。様々な原因や要因はある中で言えるのは「情報」とその認識がいかに大切か、あらためて確認されたことであった。当時ももちろん津波警報は出しており、多くは避難行動を取れたのであるが、それでも大きな犠牲を出してしまった。避難ができなかった人、しなかった人、避難は開始したが途中でまた避難場所で遭遇をした人、さらに一旦避難したが、第一波の来襲後に家に戻ってしまった人、沿岸にある自宅に家族を助けに行った人、様々な状況で犠牲になってしまった。最後まで命を守る、また命を救う行動につながる情報とは何か、また見方を変えると、私たちはどういう情報を得て危険だと認知をして、正しい迅速で適切で安全な行動がとれるか？　またリスクがなくなるまで留まるにはどうしたらよいか、課題は多い。津波工学分野の中では、佐藤翔輔准教授らとともに情報と認知について研究を進めており、たとえば、地震発生から、どのようなデータや情報が得られて、誰にどのような行動を取ってもらうための情報をどのように提供するか、体系的な情報提供システムの提案が必要である。

様々な実態調査やフィールドワーク的な研究手法も多彩になった。たとえば、生存した方へのヒアリングもさせていただき、どういう状況で避難できたのか、できるだけその場で詳しくお聞きするようにした。さ

らにWEBを使った広域でのアンケートも実施したが、最も知ることが難しい課題としては、なぜ、避難できなかったのか？　どのように津波に飲み込まれてしまったのか？　という命題であった。このことを確認するためには犠牲者の声は欠かせないが、過去の津波災害でも生存者の経験や体験は残されているが犠牲者の記録はほとんどない。当然のことではあるが、津波から命を守るためには、この命題を少しでも知り教訓として残さなければならない。この中で、警察担当者や法医学者（東北大学舟山眞人教授ら）が身許確認や検死等をされて記録を残していることを知った。この記録は宮城県警本部が9527名分残しており、発見場所、行方不明者住所、性別、年齢および死因等の記録が残されている。どういう状態でお亡くなりになったのか、その記録からは、ほんとうに生死を分けた瞬間がどこにあったのか、溺死だけではない、さまざまな要因もあったということを踏まえ門廻充侍助教らとの研究を開始することができた。東北大学の中で設置された災害科学トップレベル研究拠点での柱の1つとなる研究であった。さらに、携帯電話などの情報からビッグデータ分析することで、今まで可視化できなかった避難状況も一部であるが見ることができた。今後の津波対策を考えるうえで、課題は何で、どのように解決していけるのかということを、いまも追求している。たとえば、以下は新しい視点での研究内容になる。

① 津波災害における死因をより詳細に分析し、致死に至るプロセスを明確にする。そのことにより、いかに津波の破壊力が大きいかを理解していただく。

② 発災後の効果的な救命・救急および捜索手法を提案する。加えて、流されても救助のチャンスがあり、さまざまな段階で命を護る手段がある。一方で、低体温症など、その後の対応が十分でなく、命を亡くしていった方々も少なからずおられた。

③ 津波に巻き込まれることも想定し、致死プロセスを考慮した災害への備えや発災後の避難初動のあり方の提案と防災啓発・教育ツールを開発する。

2.3　レベル1とレベル2の導入

大震災直後に、復旧や復興計画を立てる前提として防潮堤などのハード設備のレベルを整理する必要があり、当時の既往最大の津波に対応するという事前の考えを改め、想定する津波および設計のための津波の考えを見直す必要があった。まず、対象とする津波などの（1）発生間隔・頻度および規模や（2）影響（被害）を考慮し、地域・集落ごとの個別の（3）生活条件・地形条件などから、安全レベル向上を目指すために、減災への対策の（4）効果および費用を評価・算出して、地域ごとに合意形成する必要があった。(1)－(4) における個々の合理的な評価をもとに、住民および行政の間で目標（レベル）を作り上げていくかが第一歩であった。その中で、生まれた考えがレベル1とレベル2の導入である。すでに、地震工学分野で導入されていたが、低頻度大災害である津波に適用するには困難さが大いにあった。以下が、今回、整理された内容である。

□レベル1：海岸線の津波防護レベル（海岸法2条・海岸保全計画・基本方針などに関連）。海岸保全施設の設計で用いる津波の高さのことで、数十年から百数十年に1度の津波を対象とし、人命および資産を守るレベルであり、ハード整備が重要である。

□レベル2：地域の津波減災レベル（地域防災計画・津波対策など災害対策基本法40条などに関連）。津波レベル1をはるかに上回り、構造物対策の適用限界を超過する津波に対して、人命を守るために必要な最大限の措置を行うレベル。対象津波は、貞観津波クラスの巨大津波で、その発生頻度は500年から1000年に一度と考えられる。ハード整備に加えソフト整備が重要である。

レベル1が施設での設計津波（高さ）の基本となった。被災後のこのような津波高さの算出のために、数値シミュレーションを導入して、過去の事例だけでなく将来予測も含めて推算したのは、我が国でもはじめてであった。次のステップは、地域ごとに、不確実性も含めた環境保全や景観の配慮をどの程度織り込むかであるが、この評価は難しく様々な議論があった。さらに、海岸保全施設の形状や設置位置の設定があり、これにより施設の高さや景観が変わるだけでなく、背後地の土地利用に影響を与えた。また、レベル２の対応については、まちづくり・人づくりなど生活基盤が整った後に、防災意識や災害対応力をどのように維持するかが要点であり、今後の取組の中心となろう。

２つの計画レベルについての必要性は住民間で理解はいただいたと考えているが、各地域の具体的な計画において、特に、レベル１での施設設計においては困難さがあったと考える。いくつか代替案も提示される中で、合意の判断を行政側と市民側で下す必要があったが、安全レベル、まちづくりの考えの相違がある中で、着地点を探るプロセスには課題も残されたと考える。 また一方で、防災・減災においては、「安心」と「安全」の両立が難しく、矛盾することがあり得る。安全レベルが向上し、そのことで住民が安心感を過剰に認識してしまったがために、避難をはじめとする対応が遅れ，犠牲を出してしまった事例がある。また、住民が主観的に「安心」している安全性の水準と現実の客観的な安全性の水準にギャップが生じていることがある。揺れの小さかったいわゆる津波地震により明治三陸津波の記事で「経験者多く死す」という紹介があるが、これも経験から認識していた危険性と現実にギャップがあったことになる。この問題の回避のためには、リスクコミュニケーションを推進し、思い込みや先入観を取り払うこと、住民の主観的な安全性の理解と現実の客観的な安全性を近づける必要があろう。自助の中で、対応策の限界を理解しながら、一定の危機意識を主体的に持つことも大切であると考える。

2.4　メディアとの協働

大震災前からメディアとの接点は多くあった。1993 年北海道南西沖地震津波の際にNHKスペシャル番組にはじめて出演し、当時の津波の発生や伝播の特徴や被害形態を解説させていただいた。緊急報告であり特設スタジオでの生番組であったため、かなり緊張したが、1つの責務を果たしたという安堵感と達成感を覚えている。それ以来、テレビ、ラジオ、新聞など様々なメディアの方々からの取材をいただいたり、番組作成に協力をしてきた。専門家では持たないであろう基本的な疑問や鋭い指摘や思いがけない質問により、視野は格段に広がったと考えている。いまも、複雑な現象や課題を説明することは簡単でなく、災害時でのコメントには慎重にならざるを得ない。しかし、メディアとのかかわり合いの中で情報を受け取るであろう方々を思い浮かべながら、コメントできるようになった気がする。元々自分は話し上手ではないが、できるだけ要点をシンプルにまとめる努力をしていったと思う。限られた場面でコミュニケーションをとり自分の意図を分かりやすく伝えることはいまも難しい。受け手側も変化しており、状況も変わっている。

メディアとの協働の中でも印象に強く残っているのが、NHKスペシャルMEGAQUAKEシリーズとの出会いである。最初の出演は、大震災前の2010年初冬であった。阪神淡路大震災から15年を迎える年、破滅的な被害をもたらす巨大地震＝メガクエイクの実態を解き明かす番組であった。4回のシリーズで、地震の真実を追究する科学者（クエイクハンター）たちが明らかにする地球の“地下の真実”、巨大地震の過去と未来の姿、KOBEで多くの命が奪われた15秒の真実、そして巨大都市を待ち受ける未知なる揺れ、激しい揺れで破壊された都市を襲う巨大津波を放送していった。初回と第4回に出演したが、第4回は南海トラフ地震による津波であり最新のCG・特撮技術を駆使してリアルに描き出していった。そこでは、都市型津波の複雑な挙動と漂流物も含んだ破壊力をイメージ化していただいた。1年後に発生した東日本大震災による津波と多くの点で重なってしまった。

2012年3月にはMEGAQUAKEの第2弾があり、東日本大震災から1年後、世界の津波研究者たちの闘いが紹介された。「我々は巨大津波に対して何を解明し何をメッセージとして社会に発信しているか？」を紹介いただいた。当時、菅原大助准教授、今井健太郎主任研究員（海洋研究開発機構）にも協力をいただき、今回得られた津波のデータや過去の巨大津波の痕跡“地球の記憶”を手がかりに研究を展開し、津波痕跡調査、被害実態調査、堆積物等痕跡調査を通じて、巨大化していく津波のメカニズムを紹介していった。当時は、極めて多忙な1年間であったため、取材内容の記憶を辿ることがいまも難しい。先日、改めてこの番組を見る機会があり、恥ずかしくもあり懐かしくもある自分の姿を観ることができた。悲壮感が漂っていたが、膨大なデータと現場で得られた知見を活かそうという気迫を感じることができた。「諦める、止める」という言葉は当時にはなかった。飲食を忘れて取り組んでいた当時を思い出すことができる自分自身の記録ともなった。

最近では、10年後の「MEGAQUAKE 巨大地震 2021」があり、副タイトルは「震災10年　科学はどこまで迫れたか」であった。2021年9月12日の放送であった。紹介文は以下のとおりである。「10年前、東北沖であれほど巨大な地震と津波が起こることを想定できなかった科学者たち。次こそは危機を事前に社会に伝え、命や社会を守りたいと、再び挑んでいます。巨大地震の前ぶれを捉えようと、次々投入される新たな観測技術。飛躍的に進歩したスーパーコンピューターや人工知能AIによるビッグデータ解析。次に地震が起こりやすい場所も見え始めています。東日本大震災から10年、メガクエイクシリーズの蓄積を結集し、科学の到達点を見つめます。」。コロナ禍であったため担当ディレクターとWEB会議で打ち合わせを重ねて、最後に被災地での現場と研究室での撮影を行った。大震災で多くの犠牲者を出した気仙沼市波路上での慰霊碑の前で、鎮魂と災害を繰り返さない誓いを伝える姿を紹介いただいた。命を守る研究を決意した場所である。10年の経過の中で、老いていく自分の姿を客観視もできた。10年という年月は決して短くない期間であることも実感した。

第三節　悪夢からの出発
ー災害科学の深化と実践的防災学の創成を目指して

3.1　東北大学での災害科学国際研究所の発足

2011年3月11日、巨大な地震、津波、火災、そして原発事故が相次いで発生し甚大な被害が発生、広域で複合的な大災害になった。東日本での大震災についての様々な調査研究や復興事業への取組が行われ、そこから得られる知見を将来の防災のために社会に反映する必要があった。当時、東北大学内には、防災科学研究拠点が発足しており、学際融合の活動を始めたばかりであった。様々な部局から集まったバーチャルな組織であったが、想定される宮城県沖地震をターゲットにユニークな連携研究を進めていた。しかし、大震災での課題を解決するためには、とうてい足りない組織であった。様々な関係者のご支援とご協力により、災害科学国際研究所を1年後に設立でき、災害科学の深化に加えて実践的防災学の必要性を謳った。ここでの目標は、複雑化する災害サイクルに対して人間･社会が賢く対応し、苦難を乗り越え、教訓を活かしていく社会システムを構築することにある。このミッションを達成するためには、社会からのニーズを把握することが重要であり、また、社会に向けて、必要な情報･知見･技術を提供しなければならない。社会での課題や問題に対して、具体的な解決策や方法を提示することが求められている。

先ほど紹介したが、研究所の前身として2007年の時点ですでに宮城県沖地震に対して地元大学として、理学・工学だけでなく医学・歴史学などが融合した総合的な防災科学が必要だろうということで、防災科学研究の拠点が発足していた。さまざまな分野から約20名が集まり、文理医の分野での融合が始まっていたが、東日本大震災の規模は桁違いに大きく、膨大な課題や問題が生まれていた。それを体系的に把握し解決するために、さらに学際研究を進め社会に貢献できる活動を推進する必要があり、附属研究所（時限付きではない常設の組織）という組織がつくられた。わずか1年あまりで新しい常設組織が生まれたことは極めて希であり、当時の社会での高いニーズや必要性に後押しをいただいたものと考えている。建物は青葉山の新キャンパスの中に第一号として設置された。この間、被災地の支援やその後の災害対応に加えて、2015 年の第 3 回国連防災世界会議の誘致や運営の支援など、さまざまな活動をこの地域で行っている。ご存じのとおりこの会議の後に、国連は 2015 年には仙台防災枠組を採択し、現在も国際社会での防災の指針として活動が続いている。同年には SDGs（ニューヨーク）やパリ協定（パリ）も採択された。国内では「仙台防災枠組」の認知度が低いのが残念であり、海外ではかなり高い評価と認識になっていることと対照的である。

3.2　どのような組織を構想したか？

実質半年弱で新しい組織と人員と予算等を構想することは至難であった。防災科学研究拠点の定例会議で議論を続ける中で、浮かびあがってきたのは、災害対応サイクルと災いを転じて福とする考えであった。新研究所での組織体制、この災害の対応サイクルに応じた部門・分野を構成した（図 2）。当初は 7 部門 37 分野あった。後者は災害科学国際研究所のロゴに秘めた（図 3）。災害が発生する前に理学的な知見・評価を用いてハザードマップを作成し、事前の啓発を進める災害理学研究部門、実際に災害が起きて警報などの情報を発信する際に必要な技術的な研究をする災害リスク研究部門、二次的被害の波及を抑止するため、人間や社会の対応について研究し、また被災地支援についても研究する人文・社会対応研究部門、さらには命を守る災害医学研究部門、防災の地域づくりや再生の研究を行う地域・都市再生研究部門、最後に連携やアーカイブ、語り継ぎの分野を研究する情報管理・社会連携部門、寄付研究部門（東京海上日動火災保険（株）、応用地質（株））という 7 つの研究部門が、事前、直後、復旧・復興、そして次への備えという対応サイクルに応じて活動している。いわば、災害科学国際研究所の発足前からの関連情報を提供し、その後の対応をフェーズごとに整理し、効果的にしかも迅速に活動ができる仕組みを提案したことになる。約 60 名の教員と約 80 名の学生・スタッフが協力して活動を行っており、特に外国籍や女性教員の活躍

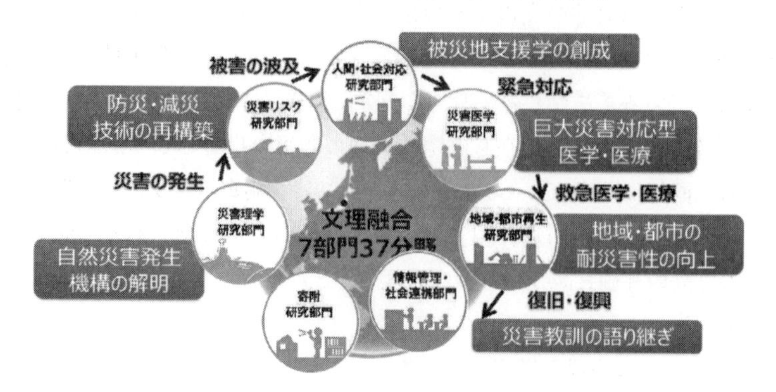

図２　災害対応サイクルに応じた部門組織にして学際連携を高めている

図３　災害科学国際研究所のロゴ
「災」の漢字を反転させたデザインであり、菖蒲の花びらも表している

がめざましい。2014年から平川新初代所長を引き継ぎ、2代目の所長を拝命している。新しい組織であるので、過去の柵や経緯をあまり気にしないで、組織運営や研究推進を実践できたことはありがたかった。学問分野や出身部局などの違いによるコミュニケーションの難しさは感じたが、研究所のミッションに立ち返り、また、現場でのニーズを踏まえ、それぞれの立場の理解の上で方向性の了解をいただいたと考えている。新しいことを始める際には、先入観を持たないこと、期待が少しでもあれば、実施していくことを心がけた。そのために、後で苦労したり反省したりすることは多かったが、新たに動いたことがあり、そこから展開

できたことも少なからずあった。

我々は、災害科学の深化と実践的防災学の展開という2つのビジョンを掲げた。災害科学国際研究所が推進する「災害科学」とは、事前対応、災害の発生、被害の波及、緊急対応、復旧・復興、将来への備えを一連の災害サイクルととらえ、それぞれのプロセスにおける事象を解明し、その教訓を一般化・統合化することである。これによって、個々の災害での経験や体験の共通性を見いだし、得られた知見を広く多様な災害へと適用できることとなる。さらに、それらの成果を社会に還元し実装する必要がある。東日本大震災における調査研究、復興事業への取組から得られる知見や、世界をフィールドとした自然災害科学研究の成果を社会に組み込み、複雑化する災害サイクルに対して人間・社会が賢く対応し、苦難を乗り越え、教訓を活かしていく社会システムを構築するための学問を「実践的防災学」として体系化し、その学術的価値を創成することを災害科学国際研究所のミッションとした。

学際研究の成果としては、巨大地震・津波の発生メカニズムの解明や、複雑な巨大津波の解析技術や予測技術の向上、古文書などの史料レスキュー、また、新しい訓練も必要だろうということで、産官学が連携して「カケアガレ！日本」というプロジェクトが立ち上がり、新しい内容でマンネリ化しない避難訓練実施の支援を行っている。また、災害ストレスの緩和・低減のための心のケアも10年が経過する中で重要性を増している。災害医療分野では、DMAT（災害派遣医療チーム）も含めて災害発生直後の救命が非常に重要であるが、その後に避難所や仮設住宅・復興住宅などで環境変化や関係者を失った悲しみによるストレスにより心身の健康を崩してしまう課題も深刻さを増している。災害精神医学の分野での活動が、DPAT（災害派遣精神医療チーム）などの活動に繋がっている。

第四節　世代を超えて伝承するために

4.1　経験と教訓を伝えていく

人類史上経験のない広域での複合的な大災害であったので、今回の震災の記録をしっかりとアーカイブし、それを活用していただくことが非常に重要である。当時の写真や映像、手記、SNSなどの記録から得られる教訓を整理してWEB上で利用できるようにデジタル化し、たとえば学校の出前授業でさらに地域での防災啓発に使っていただいている。学校での出前授業では、講義資料を使った講話に加えて、黄色いハンカチを使って遊びながら授業を行い、その日にハンカチを家に持ち帰ってもらい、この授業で学んだことを家族や友人に伝えて、家庭での防災に関する会話を進めてもらっている。

我々が東日本大震災で得られた教訓があるが、その1つは、“備え以上のことはできない”ということである。宮城県沖地震などの切迫性が叫ばれる中、地域で、住民、行政、そして専門家などの支援者が連携して、防災への活動を進めてきた。耐震化、避難所運営、非常時備蓄の充実、自治体や関係機関の連携（協定)、避難訓練などである。これらの備え・事前の取組は大震災でも効果はあったが、災害規模の大きさ、津波災害や原発事故など想定を遥かに上回る被害に対しては、多くの課題を残した。今までに経験のない災害に対しては、現場での判断により臨機応変な対応が取られていったが、各地でボトルネックが生じて対応を進められない場面も少なくなかった。いざという時にもなんとかなるだろうという意識では、被害が拡大する中では無力であった。

これらの経験や得られた教訓を伝えていく必要があるが、忘れてならないのは“災害は進化する”ということである。東日本大震災は私たち人類が経験していないような未曾有の災害であったわけであるが、最近の台風や豪雨災害も同様であり、ハザードという現象そのものも変化している中、我々の生活様式や土地利用や住み方が違ってきたり、私たちのコミュニティーが変化してきているので、それに伴って、受ける影響や被害形態も変わってきた。残念ながら脆弱性が高まり、より被害が拡大する傾向に進化している。それを踏まえて私たちは備えをし、いざという時の対応をしなければいけない。

では、防災の学びをどのように伝え、広げていけばいいのだろうか。まず経験や教訓を伝えるには、最終的には“人から人”であろう。文章や映像を通じて説明し伝えていくが、やはり当人の言葉で伝える“語り”には説得力があり効果的であり、相手の関心を高め意識を変化させる効果が高い。突然の災害による、悲しみ、苦しみ、辛さ、後悔、感謝、自己高揚感、連帯感など感情が含まれない情報は、共感が得にくいのが実態である。そのため、我々も学校での出前授業や地域での防災講座等、対面で直接にお話しする機会を大切にしている。さらに、意識や認識の変化を行動に結びつける必要があり、これについては、現場での体験や実践を通じた判断・行動力の向上が必要であると考える

4.2　被災地での取組－3.11伝承ロード推進機構の設立など

現在、震災の被災地では、様々な伝承施設や遺構、石碑・記念碑が設置・整備され、当時何が起き、どのように避難し生活を立て直していったのか、さらに、国内外からいかにご支援をいただきながら、今日まで復旧・復興の取組を行ってきたのかを、現場で伝えていただいている。これらの震災伝承施設（登録）は沿岸部で300を超えた（令和4年7月20日現在)。現地を訪問いただいた方には、一つひとつの体験や経験が共感を呼び、知識となって防災行動に繋がりつつあり、伝承することの重要性を改めて再認識している。そのような背景の中、組織化されたのが『3.11伝承ロード推進機構』である。東日本大震災の教訓を学ぶため、震災伝承施設のネットワークを活用して、防災に関する様々な取り組みや事業を行う活動を目指している。

このような活動を知り、今後も繰り返されるであろう災害に対して、生き残り、さらに生き抜き、協力して生き続けるため「生きる力」の能力を向上させることが必要であり、防災教育の中で取り入れていただくことが必要であると思われる。教科書・副読本を通じて得られる知識に加

えて、現場で地域ごとの具体的な事例が紹介され、特にリスクを回避できる判断力を涵養できる内容が豊富にある。是非、各地を訪問していただき、多くの学びを得ていただきたいと思う。東北以外にも過去の災害の歴史を残している場所が多く存在しているので、先人達の教訓と知見を活かしながら継続して備えて対応できるレジリエント社会づくりを目指していただきたいと考える。

おわりに

今回、転換点というお題をいただき、本文を書き進めていった。特に、津波工学との出会い（日本海中部地震津波も含めて）と東日本大震災の悪夢からの再帰を紹介させていただいた。予測も期待もしていない出来事が突然に起こることは何度かあるが、振り返り整理してみると転換点として思い出される機会は限られる。おそらく、以前からの関心事や経験も関連して、その契機で自分自身の考えや行動がかなり大きく変化した状況はそれほど多くない。そこには大きな壁が立ちはだかり、その前で従来の思考が止まり、行動の反省や見直しが生まれ、自己否定から始まる。ただし、壁の前で立ち止まることにより周辺の様子を見たり以前を振り返る機会を得たとも考える。2011 年 3 月東日本大震災の際には、この経験をまさに持つことになり、もがいていたが、ある時に「無駄ではなかったのでは」との肯定感が少し見え始め、様々な課題と向き合うことができ、次の自分の方向性が自然に示唆されたと思われる。なお、この肯定感はそのまま以前と同じ考えを続けることではなかった。現在、津波工学の分野からより広い実践的な防災学に広がったことは確かである。いままでの経験や知識を糧に一歩ずつ進んで行くことが、自分にとって大切にしてきたことであり、知見の蓄積こそが解決に一番近づける方法と思ってきた。この考えは否定すべきものではないが、突然に次元の異なることに遭遇する際には十分ではなかった。11 年前に、その経験をし、転換点となったと思われるが、その方向性が正しいかどうか？　どこまでできているか？　はまだ分からない。

現在、大震災以降も国内外で災害が発生し、大きな被害と爪痕を残している。現代社会での利便性やグローバル性は確実に高まったといえるが一方で、自然災害、感染症、有事も含んだリスクについては、従来に増してリスクが高まり不安な社会も生まれている。今後も、どのように命や地域を守るのか？　安全なレベルは？　安心できるには何が必要なのか？　などの議論が重要である。このようなリスクに対しては現在の社会での関心も高く、多くのメディアでも取り上げられ情報や知見も多く提供されている。しかしながら、災害・リスクなどによる被害が軽減されず従来に増して被害や影響を受けている状況がある。また、多くの報道や提供される情報の中で、関心が遠のき意識の中に残らない慢性的な状況も指摘されている。

災害報道などで残念なことがある。従来からしっかり対応し事前に被害や影響を抑えられた事例については紹介されず、被害が起きた事例が強調され、原因や責任追及が行われるという風潮がある。まさに世間の関心がそこにあるからであろうが、今まで地道に続けられてきた努力が報われず、場合によっては支援経費の削減対象になることさえもある。我が国で継続されてきた防災文化は、このような課題を踏まえて、続けていかなければならない。さらに、社会のシステムの中に織り込み、多くの工夫（智恵）が存在していると考える。今の価値観や関心に左右されず、長い歴史の中での教訓を活かしていくことが最も重要であると考える。

ただし、地球規模気候変動も含めて、過去には経験のない、想定を超える事例もある。そこへの対応は危機管理というキーワードで議論されているが、万能薬は存在しない。基本としては、事前防災である想定内の災害・リスクへの対応を確実に行い、それを超える部分をできるだけ少なくすること、その後の応急対応から復旧の回復を高めること、さらに、前と同じレベルの安全性に戻すという復旧にとどまらず、将来のリスクにも対応できるように安全性を高めていくこと、が挙げられる。我々の実践防災学やレジリエンス強化の基本もここにある。特に、最後の復興については、東日本大震災の中でも大目標として各被災地での取組が行われている。西日本などの未災地では『事前復興』の活動も始まっている。各地域の復興の姿はそれぞれあるが、議論が難しいのは、復興とは何を持って目標（終了）とするのか？　復興のレベルはどの先まで考えて決めるのか？　など課題は尽きない。おそらく、復興について考えコンセンサスを得ていく活動そのものが重要であり、そこでは、マニュアルやガイドライン作成は必要であるが十分ではなく、実践知という現場で生み出された工夫が加わらなければならないと考える。

註・参考文献

今村文彦、「東北地方太平洋沖地震による巨大津波のメカニズムと被害予測」、地震ジャーナル、地震予知振興会、No.60、12月、pp.16-23 (2015).

今村文彦、『逆流する津波－河川津波のメカニズム・脅威と防災－』、成山堂書店、(2020).

仙台市HP　ウェブサイト「つなぐ　おもい　つながる　東日本大震災から10年」世界に向けたアジェンダ“BOSAI”仙台から始まった力強い意志を伝えるために
https://sendai-resilience.jp/shinsai10/
https://sendai-resilience.jp/shinsai10/interview/20201012_entry01_01.html

時事通信、「東日本大震災・被災3県死者の年齢別内訳」(2011年4月19日)
https://www.jiji.com/jc/graphics?p=ve_soc_jishin-higashinihon20110419j-02-w380

森 信人、「津波合同調査の全体概要とその解析結果」、東北地方太平洋沖地震津波に関する合同調査報告会　予稿集、(2011).
https://iss.ndl.go.jp/books/R100000001-I058502864-00

第二部

第五章　生命科学の転換点
～ゲノム編集の時代を迎えて～

水野　健作

はじめに

本棚に目をやると、1冊の古い本が目に留まりました。書名は『人間に未来はあるか』、著者はゴードン・テイラー、1968年にイギリスで出版され、翌年、日本語版が出版されています[1)]。原題はThe Biological Time-bomb（生物学的時限爆弾）で、20世紀後半に始まった生物学の飛躍的な発展と、それにともなって生じるであろうさまざまな課題が取り上げられています。各章のタイトルをみると、「生物学者はわれわれをどこへ連れていくのか」、「性は必要か」、「改造人間」、「死は免れえないものか」、「古い脳に新しい心を」、「遺伝技師たち」、「生命をつくりだせるか」、「未来―もしそれがあるとしたら」と刺激的なことばがならんでいます。50年以上前に書かれた本ですが、そこには体外受精、臓器移植、不老不死薬、脳神経作動薬、遺伝子操作、人工生命など現代にも通じる人間性を脅かしかねないバイオテクノロジーの未来像が描かれています。当時はレイチェル・カーソンの『沈黙の春』（1962年）や、ローマクラブの『成長の限界』（1972年）が出版され、科学技術や産業の発展にともなう環境破壊や人口増加に対して警告が発せられはじめた時代でもありました。『人間に未来はあるか』は、生物学においてもその発展は人類に有益な成果をもたらす可能性があると同時に、「神の摂理」に反するなにか得体の知れない不安な社会をもたらすかもしれないという未来への警鐘をならしています。この本が書かれた当時は、ゲノム編集技術はもちろんのこと遺伝子組換え技術もまだ発明されておらず、体外受精児やクローン羊もまだ生まれていない時代でした。それから50数年を経て、生命科学は加速度的な発展を遂げ、私たちは今や、ヒトの遺伝子を狙いどおりに改変できる技術を手にしています。『人間に未来はあるか』で予言されたことの多くは、もはや想像の産物ではなく、現実に人間に応用可能な技術になっているのです。

歴史の流れは一様ではありません。生物の進化や人類の歴史をたどってみても、いくつかの限られたできごとが古い時代を終わらせ新しい時代を創造してきたことがわかります。このような時代の変わり目をここでは「転換点」とよびます。「生命科学」の歴史を振り返ってみても、一つの発見がその後の学問や社会に大きな変革をもたらしたことがありました。この稿では、ゲノム編集によって人類が自らの遺伝子を思いどおりに操作できるようになった現代を「生命科学の転換点」ととらえ、生命操作技術が人類に何をもたらすのか、「人間に未来はあるか」ということをもう一度考えてみたいと思います。

第一節　生命科学の３つの転換点

まずは、これまでの生命科学の歴史を簡単に振り返り、生命科学が 2 つの転換点を経て、現在の生命操作の時代（＝第 3 の転換点）にいたった背景をたどりたいと思います。

1.1　博物学の時代から近代生物学へ

生物学の歴史を振り返ると、古代ギリシアのアリストテレスの時代から 19 世紀半ばまでの長い間は「博物学の時代」であったといえるでしょう。博物学（Natural history：自然史とも訳される）は、自然界に存在するあらゆるもの（動物、植物、鉱物など）を記載し、分類し、体系化しようとする試みですが、生物学は博物学の一領域として発展したといえます。17 世紀の科学革命の時代には、生物学においても、ウィリアム・ハーヴェイによる血液循環説（1628 年)、ロバート・フックによる細胞の発見（1665 年)、アントニ・ファン・レーウェンフックによる微生物の発見（1674 年）など顕著な発見がありましたが、生物学を推し進める大きな原動力にはなりませんでした。生物に関する科学が「筋の通った」学問を構成するとはまだ考えられておらず、「生物学（Biology）」ということばが使われはじめるのはやっと19世紀になってからでした[2)]。19世紀半ばになって、マティアス・シュライデンとテオドール・シュワンによる細胞説（1839年）、チャールズ・ダーウィンによる進化説（1859年）、ルイ・パスツールによる自然発生説の否定（1861年）、グレゴール・メンデルによる遺伝法則（1865年）など、生物学を近代科学ならしめる大きな発見が相次いでなされました。ダーウィンが『種の起源』を刊行し、ルドルフ・ウィルヒョウが「すべての細胞は細胞から」ととなえた1859年を、物理学における1905年になぞらえて、生物学における「奇跡の年」とよぶ人もいます[2)]。現代生物学の基礎となる概念の多くが生み出された19世紀半ばを近代生物学の出発点（生命科学の第1の転換点）と考えてよいでしょう。（図1）

1.2　分子生物学の誕生[3)、4)]

19世紀半ばに始まった近代生物学は、その後、顕微鏡技術の発達や化学・物理学・医学など周辺諸科学の発展に支えられて、生化学・生理学・遺伝学・発生学・進化学などの諸分野が発展してきました。そこには多くの重要な発見がありましたが、今日の生命科学の飛躍的な発展を導く引き金となった象徴的なできごとは、何といってもジェームス・ワトソンとフランシス・クリックによるデオキシリボ核酸（DNA）の二重らせん構造の発見といえるでしょう。

メンデルは生物がその形質（かたちと性質）を次の世代に引き継いでいくしくみ、つまり遺伝の法則を発見しましたが、その報告は注目されないまま長年埋もれていました。1900年にメンデルの法則は再発見され、その後、トーマス・モーガンらのショウジョウバエを用いた解析によって、遺伝因子（遺伝子）が染色体上にならんで存在していることが明らかにされました。さらに、オズワルド・エイヴリーは肺炎球菌の形質転換を引き起こす物質（すなわち遺伝子）の本体はDNAであることを実験的に証明しました（1944年）。しかし、当時は、DNAのような単純な構造の分子が遺伝情報の伝達という複雑な生命現象を担っているとは考えられず、多様な立体構造をとりうるタンパク質こそが遺伝物質の本体だろうと考えている人が多かったのです。このような状況の中、ワトソンとクリックは、ロザリンド・フランクリンの撮影したX線結晶回折像をもとにDNAの二重らせんモデルを提唱しました。

ワトソンとクリックは、DNAを構成する4つの塩基のうち［アデニン（A）とチミン（T）］、［グアニン（G）とシトシン（C）］の対合によってDNAの2本鎖が相補的に結合しており、DNAが複製される際には2本鎖からほどけた各々の1本鎖が鋳型となって相補的な鎖を作る、というモデルを示しました。こうして、遺伝という複雑な生命現象がDNA分子の複製という簡単な化学反応で説明できるようになりました。クリックはこのモデルを思いついたとき、「われわれはついに生命の秘密を解明したぞ！」と叫んだと伝えられていますが、これは決してクリックの誇張ではなく、少なくとも、彼らの発見がそれ以後の生命科学の驚異的な発展の引き金を引いたことはまちがいありません。DNAの二重らせん構造が発見された1953年は「分子生物学の誕生」の年とよばれていますが、この年を「生命科学の第2の転換点」とよんでよいでしょう。

1.3　分子生物学の誕生から生命操作の時代へ[4)]

DNAの二重らせん構造の発見ののち10年くらいの間に、DNAの塩基配列が生命活動の主な働き手であるタンパク質に読み取られるしくみが明らかにされました。DNAはまずリボ核酸（RNA）に転写され、次にRNAがタンパク質に翻訳されるというしくみで、これを分子生物学の「セントラルドグマ」とよびます。つまり、DNAは複製されて次世代に遺伝情報を伝えるとともに、タンパク質に翻訳されて細胞の形質を決めるという設計図の役割も担っていることになります。分子生物学の発展とともに生物学は関連する諸分野とのつながりを深め、医学・薬学・農学・工学への応用もさかんになってきました。こうして、1970年ころからは生命現象にかかわる総合的な科学という意味で「生命科学（life

紀元前4世紀〜19世紀中頃　　博物学の時代

19世紀中頃　生命科学第1の転換点

1839 細胞説（シュライデン、シュワン）、1859 種の起源（ダーウィン）

1861 自然発生説の否定（パスツール）、1865 遺伝法則（メンデル）

1953　DNAの二重らせん構造（ワトソン、クリック）生命科学第2の転換点

1972　遺伝子組換え技術（バーグ）

1977　DNA塩基配列決定法（サンガー）

1978　体外受精児の誕生（エドワーズ）

1989　遺伝子改変マウス（カペッキら）

1997　クローン羊の誕生（ウィルムットら）

2001　ヒトゲノムの解読（国際コンソーシアム、ヴェンター）

2006　iPS細胞（山中）

2012　ゲノム編集 CRISPR-Cas9法（ダウドナ、シャルパンティエ）

2018　サルのクローン誕生

2018　ヒト胚のゲノム編集　　生命科学第3の転換点？

図１　生命科学の歩みと３つの転換点

博物学の時代から、近代生物学の誕生（第１の転換点）、分子生物学の誕生（第２の転換点）を経て、ヒトのゲノムを編集できる時代となった現代は第３の転換点とよべるかもしれない。

science)」ということばがよく使われるようになりました。生物学・生命科学の歩みについて、近年の生命操作技術にかかわる発見を中心に、年表にまとめました（図1)。

1977年、フレデリック・サンガーはDNAの塩基配列決定法を開発し、バクテリオファージ（バクテリアに感染するウイルス）のゲノムDNAの塩基配列決定に成功しました。その後、サンガー法を用いて、さまざまな生物種のゲノム配列が解読され、2001年には約30億塩基対からなるヒトゲノムの配列が解読されました。現在では、ヒトゲノムをより速く、より簡便で安価に解読できる手法も開発され、病気の原因解明や個別医療に役立てられています。

一方、1972年、ポール・バーグは異なったウイルスや生物種間でDNAを切り貼りして人工のハイブリッド遺伝子を作り出すことに成功し、これを組換えDNAと名付けました。翌年、スタンリー・コーエンとハーバート・ボイヤーは、プラスミドという運び屋を利用して、組換えDNA

をもつ大腸菌を作ることに成功しました。ボイヤーらはこの技術を使ってヒトインスリンを大腸菌に作らせることに成功し、遺伝子工学による有用タンパク質の生産への道を開きました。こうして、かつては動物の組織から精製して使うしかなかったインスリンや成長ホルモンなどの医薬品が、今では大腸菌などを利用した組換えタンパク質として作られるようになりました。

1989年には、マリオ・カペッキらによって遺伝子改変マウス（ノックアウトマウス）が作成されました。これはマウスの胚性幹細胞（ES細胞）を用いて、相同組換えによって特定の遺伝子を破壊・改変したマウスを作成する技術で、この手法を使って多くの遺伝子の生体内での機能が明らかにされました。しかし、ここで用いられた相同組換えの効率は非常に低く、また、マウスを掛け合わせる必要もあり、時間と労力のかかる操作でした。そこで新たに誕生したのが、2012年、ジェニファー・ダウドナとエマニュエル・シャルパンティエによって開発されたゲノム編集技術です。次節でくわしく述べるように、この技術は、これまでの遺伝子組換え技術に比べて、格段に操作が簡単で、標的に対する特異性も編集効率も高いことから、またたく間に普及しました。ゲノム編集技術は、生物の遺伝子を簡単に狙いどおりに改変することができる革新的な技術であり、ヒトの胚に応用すれば人類という種の歴史を大きく変える可能性もあります。そのような観点から、人類が自らの遺伝子を自在に操作できる技術を手に入れた現在を「生命科学の第3の転換点」とよんでよいでしょう。

第二節　ゲノム編集とは何か

2.1　ゲノム編集の衝撃

2018年11月、香港で開催された第2回ヒトゲノム編集国際サミットにおいて、中国の南方科技大学の賀建奎（He Jiankui）准教授が、ヒトの受精卵にゲノム編集を行い双子の女の子が誕生したと発表し、世界に衝撃を与えました[5)]。エイズウイルスに感染した夫と非感染者の妻の受精卵に対して、生まれる子どもがエイズウイルスに感染しないようにCCR5という遺伝子を改変したといわれています。安全性が確立されていない技術を人に応用した点で、賀建奎のおこなった行為は到底許されることではありません。倫理的な手続きがとられていなかったことや、ゲノム編集でしかできない医療行為ではなく、他の方法でもエイズウイルスの感染を防ぐ手段はあったということも指摘されています。ゲノム編集技術の応用について安全性の評価や倫理的・社会的問題を含めた規制作りを慎重に進めてきた科学者たちに対する大きな背信行為であるといえるでしょう。この行為は国際的に厳しく非難され、中国政府も厳しく批判し、賀建奎は大学を解雇され、懲役3年の実刑判決を受けたと報道されています[6)]。この事件は、なぜ、これほどの衝撃を世界に与えたのでしょうか。以下、ヒトゲノムについて簡単に説明したあと、ゲノム編集とはどのような技術で、これまでの遺伝子組換え技術とはどこが違うのか、何が革新的なのかを述べ、さらにその安全性や倫理的・社会的問題点について考えます。

2.2　ゲノムとは何か

ゲノムとは、ある生物のもつすべての遺伝情報（すなわちDNAの塩基配列）のことです。ゲノムに含まれる遺伝情報がそれぞれの生物のかたちや性質を決めるので、生物の設計図ともよばれています。ヒトのゲノムは、約30億塩基対のDNAから構成されており、23対の染色体上に分かれて存在しています（厳密にいえば、これに加えてミトコンドリアのDNAがあります）。ヒトゲノム中には約2万個の遺伝子（タンパク質に翻訳される単位）が存在していますが、タンパク質に読み取られる塩基配列は全ゲノムの1.5%しか占めていません。残りの98.5%は非翻訳領域とよばれ、RNAに転写されるけれどもタンパク質に翻訳されない領域や、遺伝子の発現や染色体の構造を調節する役割をもつ領域が含まれます。また、全ゲノムの50%以上は繰り返し配列が占めていますが、その役割はよくわかっていません。こうして、ヒトゲノムのすべての塩基配列が解読されましたが、ゲノムの大部分を占めている非翻訳領域の役割はほとんどわかっていません。約2万の遺伝子についても、機能のわかっていない遺伝子が多く存在しており、私たちはヒトのゲノムや遺伝子の働きについてまだ十分に理解しているとはいえないことを強調しておきたいと思います。

一概にヒトのゲノムといいますが、それぞれの人のゲノムの間では約0.1%（約300万塩基対に相当）の塩基配列の違いがあります。ちなみにヒトとチンパンジーでは約1%の塩基配列の違いがあります。ヒト個体のもととなる受精卵は卵子と精子が合体して生じますが、このとき親の染色体DNAはほぼ無限の組み合わせで混ざり合い、子供に伝わっていきますので、（一卵性双生児を除けば）兄弟といえどもひとりとして同じゲノム配列をもつ人はありません。このことがヒトの多様性を生み出しているのです。

2.3　ゲノム編集とは何か[7-11]

ゲノム編集技術は、生物の設計図であるゲノムDNAの中から目的とする遺伝子だけを特異的に破壊したり、置換・挿入したりすることができる技術です。ZFN法やTALEN法とよばれる方法が最初に開発されました。その後、2012年、ダウドナとシャルパンティエによって開発されたCRISPR-Cas9（クリスパー・キャスナイン）法は、①操作が簡単で、②標的特異性が高く、③編集効率が高い、という優れた特徴があり、これまでの遺伝子組換え技術やZFN・TALEN法と比べて格段に有用な遺伝子改変技術として、基礎研究だけでなく食品や医学への応用研究にも急速に広がりました。

CRISPR-Casシステムは、もとは細菌や古細菌のもつ免疫機構のひとつであり、ウイルスなどの外来遺伝子に感染したときにこれを破壊し自己防御するためのしくみです。CRISPRとは細菌や古細菌のゲノム中に存在する特徴的な塩基配列のことで、「クラスター化され、規則的に間隔が空いた短い回文構造の繰り返し（Clustered Regularly Interspaced Short

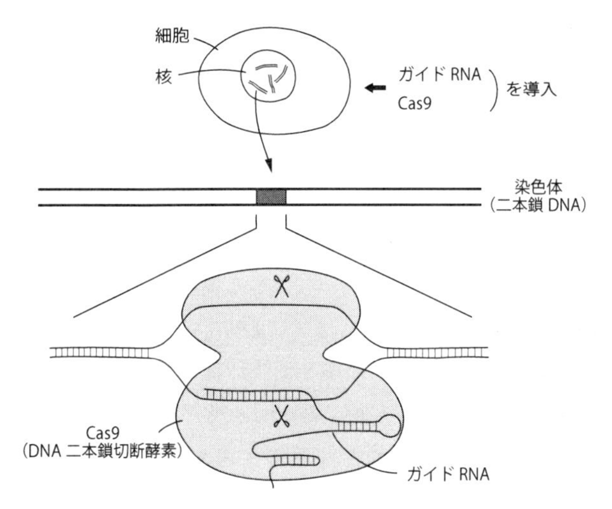

図 2　ゲノム編集のしくみ (1) ガイド RNA と Cas9 の役割
細胞にガイド RNA と Cas9 を導入するだけで、ゲノム中の狙った遺伝子を破壊することができる。
ガイド RNA がゲノム中の標的配列を探し出し、Cas9 が DNA 二本鎖を切断する。

Palindromic Repeats)」ということばの略号です。また、Cas9 は「クリスパー関連（CRISPR-associated）-9」の略号で、CRISPR 配列の近くにある遺伝子にコードされたDNA二本鎖切断酵素のことです。細菌がウイルスに一度感染すると、細菌はその遺伝子の一部を CRISPR 領域に取り込みます。再び同じウイルスに感染すると、CRISPR 領域からクリスパー RNA（crRNA）が読みとられ、これが別の RNA であるトレイサー RNA（tracrRNA）と共同して Cas9 を標的であるウイルス遺伝子に引き寄せます。Cas9 はウイルス遺伝子を切断・破壊し、その結果、細菌はウイルスの感染を免れるというしくみです。

ダウドナとシャルパンティエは、crRNA と tracrRNA の二つの RNA を人工的につないだ「ガイド RNA」を作成し、ガイド RNA と Cas9 という二つの分子を細胞に入れるだけで、目的とする遺伝子を特異的に破壊することのできる簡単な手法を開発しました（図 2)。ガイド RNA は標的とする遺伝子の塩基配列と相補的な約 20 塩基の領域をもつように設計されており、この領域でゲノム内にある標的配列を探し出し、結合します。ガイドRNAはまたCas9と結合する領域をもっているので、Cas9が標的配列のところに引き寄せられ、その結果、標的遺伝子のDNA二本鎖が切断されます。つまり、ガイドRNAが標的配列を探し出し、Cas9が破壊するというわけです（seek and destroy)。この技術はヒトを含むすべての生物種に応用することができます。

DNAの切断は細胞の生存にとって大きな傷害となるので、細胞は切断箇所を修復し、再結合しようとします。DNAの2本の鎖が同時に切断されたときには非相同末端結合修復とよばれるしくみがはたらきます。この修復機構は、正確さはともかく切断箇所をとにかく結びつけようとする修復機構であり、切断箇所で塩基の欠失や挿入が生じます。そのため、その遺伝子はもはや機能できず、もとのタンパク質を作ることができなくなります。このような操作を遺伝子の破壊（ノックアウト）とよびます（図3A)。

一方、目的とする遺伝子の塩基配列を、他の塩基配列に置き換えることもできます。この場合には、ガイドRNAとCas9に加えて、修復のときに鋳型となるDNA断片（ドナーDNA）を同時に細胞に入れます。Cas9によるDNA二本鎖の切断までは遺伝子ノックアウトと同じ反応ですが、その後、相同組換え修復というしくみによって、切断部位の両側でドナーDNAとのあいだで組換えが起こり、塩基配列の置き換えが生じます。このような操作を遺伝子の置換あるいは挿入（ノックイン）とよびます（図3B)。ノックイン操作では変異した遺伝子を変異する前の元の遺伝子に置き換えることができるので、遺伝子変異疾患の治療に応用することが可能となります。ただし、ノックアウトに比べてノックインの効率は低く、その応用には限界があります。後述のように、現在、その効率を高めるための改良法の開発が進められています。

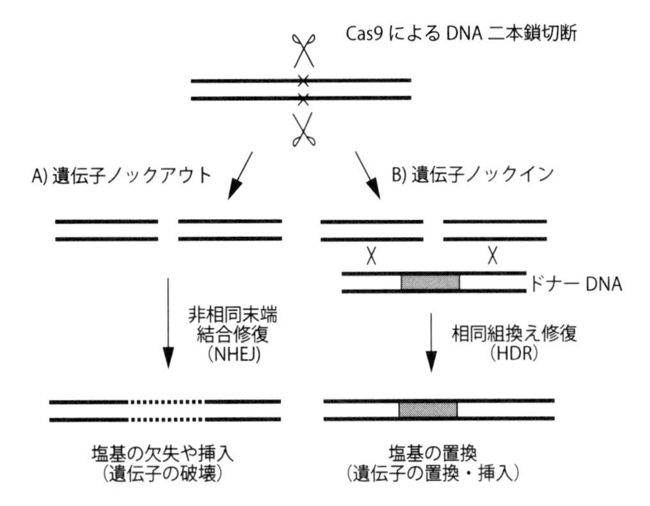

図３　ゲノム編集のしくみ (2) 遺伝子ノックアウトとノックイン
(A) 遺伝子ノックアウトでは、Cas9 によって切断された DNA の部位で非相同末端結合修復 (NHEJ) が起こり、塩基の欠失や挿入により遺伝子の機能が破壊される。
(B) 遺伝子ノックインでは、切断された DNA の周辺で相同組換え修復 (HDR) が起こり、ドナー DNA の配列が置換・挿入される。

2.4　遺伝子組換えとは何が違うか

ゲノム編集技術が開発されるまでは、遺伝子組換え技術によって遺伝子の改変が行われてきました。遺伝子組換え技術は、DNA を切り貼りして新しい DNA を作る技術のことですが、プラスミドやウイルスのような運び屋を使って外来遺伝子を細胞に入れたり、ゲノム中に挿入する場合も含みます。相同組換えを利用してゲノム内の特定の遺伝子を改変する場合には標的遺伝子組換えあるいは遺伝子ターゲッティングとよびます。標的とする遺伝子の両側の DNA 配列と相同な配列をもつドナー DNA 断片を細胞に入れて相同組換えを起こさせて、標的遺伝子をドナーの遺伝子に置き換える手法で、標的遺伝子を破壊したり、別の遺伝子を挿入したりすることができます。

それでは、これまでの遺伝子組換えとゲノム編集とでは何が違うのでしょうか。このことについては、「遺伝子組換えは外来の遺伝子を導入するが、ゲノム編集はもとからある遺伝子を破壊するだけ」と説明されることがありますが、これは遺伝子の挿入（ノックイン）と破壊（ノックアウト）の違いを説明しているに過ぎず、実は、遺伝子組換えとゲノム編集は特定の遺伝子を破壊あるいは挿入する技術という意味では本質的な違いはありません。これらの技術のもっとも大きな違いは、相同組換えを使うかCRISPR-Cas9を使うかという手法の違いにあります。その手法の違いによって、ゲノム編集は、遺伝子組換えに比べて、①操作が簡単で、②標的特異性が高く、③編集効率が高い、という格段に優れた特徴をもつことになったのです。ゲノム編集のもつこのような利点が遺伝子操作に革新的な変化をもたらしたのです。遺伝子組換え技術は、組換え効率が低く、組換えが起こる位置の特異性も低いため、薬剤耐性遺伝子などを利用して、目的とする位置で遺伝子の破壊や挿入が起こっているものだけを選別することが必要になります。そのため、遺伝子組換えでは遺伝子を破壊する場合でも置換する場合でも、外来の薬剤耐性遺伝子などが挿入されることが多いのです。遺伝子組換えは組換え効率が低く、標的特異性も低く、多大な労力と時間がかかっていたのに比べて、ゲノム編集は上記の3つの利点があるため、革新的な技術として広まっていったのです。

第三節　ゲノム編集の応用 [7-13]

ゲノム編集は狙った遺伝子を簡単に破壊･改変できる技術なので、今や生命科学の研究室では日常的な手法として使われています。生命科学研究では、個々の遺伝子を破壊･改変した細胞や実験動物を作成し、その形質の変化から遺伝子の機能を探るのが常套手段であり、私たちの研究室でもこの手法を用いていくつかの遺伝子の機能を解析しています。このようにゲノム編集は生命科学の基礎研究に大いに役立っていますが、同時に、有用な農作物や家畜の作出や医療への応用も始まっています。

3.1　ゲノム編集食品

人類はこれまで自然界にあった植物や動物を品種改良することによって、多くの有用な農作物や家畜を手に入れてきました。これらの生物は、自然界で生じた偶発的な変異や放射線などで誘発した変異を利用して、有用な性質をもつ生物を選別し、交配を重ねることで、長い年月をかけて作られてきたものです。遺伝子組換え技術の開発以後は、この技術を使って有用な遺伝子が導入された遺伝子組換え作物が作られるようになりました。たとえば、害虫や病原性ウイルスに抵抗性がある、除草剤に耐性がある、収穫量が多い、寒冷・乾燥・塩分に耐性がある、などの有利な性質をもった農作物が作られています。また、ベータカロテンを含む米のように付加価値をもつ食品も作られています。これらの食品は、安全性や生態系・生物多様性への影響などのリスクを懸念する声があるものの、一部はすでに市場に出回っています。国内では、安全性の審査、表示義務がありますが、大豆、じゃがいも、とうもろこしなど8品目の遺伝子組換え作物の市場での流通が認められています。ゲノム編集はより簡単に目的とする遺伝子を破壊・改変することができることから、農産物や海産物への応用が試みられており、国内でも、血圧上昇を抑える物質（GABA）を多く含むトマト、肉厚のマダイ、成長の早いトラフグがゲノム編集を応用した食品として開発されています[14)]。

ゲノム編集によって作られた食品は、特定の遺伝子を破壊したり改変したものであって、外来の遺伝子を加えていない場合には、これまでのように品種改良によって作られた変異体と区別がつきません。こうして、国内では、外来の遺伝子の挿入がないゲノム編集食品については、安全性審査がなくても届出のみで流通できるとしています[14)]。しかし、後述のような意図しない変異が生じている可能性についてどこまで調べられているかは不明です。また、現在は、ゲノム編集生物は自然界に流出しないよう隔離されていますが、誤って流出した場合に生物の多様性や生態系に影響が出る可能性を考えておく必要があります。

3.2　ゲノム編集医療

ゲノム編集は開発当初よりヒトの疾患、特に遺伝性疾患の治療への応用が期待されていました。多くの遺伝性疾患はわずか一つの遺伝子あるいは一つの塩基の変異によって引き起こされることが知られています。たとえば、鎌状赤血球症、嚢胞性線維症、筋ジストロフィー、血友病、ハンチントン病、多くの先天性代謝疾患はそれぞれ単一の遺伝子の変異が原因で生じます。また、がんは多くの遺伝子がかかわる病気ですが、ゲノム編集を用いてがんにかかわる遺伝子の変異をもとに戻せればがんの発症率を下げることが期待できます。

ここで生殖細胞系列と体細胞系列の違いについて述べておきます。私たちの体を構成する細胞は生殖細胞系列と体細胞系列の２つにわけることができます。生殖細胞系列の細胞は生殖細胞（卵子・精子）とそのもととなる細胞のことで、その遺伝子の変異は子どもに伝わっていきます。一方、それ以外の大多数の細胞は体細胞であり、筋肉・神経・肝臓などで働きますが、その遺伝子の変異は子どもに伝わることはありません。したがって、体細胞のゲノム編集では遺伝子の改変はその人だけに限られますが、生殖細胞系列の細胞や受精卵や初期胚のゲノム編集（以下、簡略のため「胚のゲノム編集」とします）では、遺伝子の改変は子どもやさらにその子孫にまで伝わることになります。ヒト胚のゲノム編集は、未来世代の人類に影響が生じる可能性があることから、慎重なうえにも慎重でなければなりません。

これまでの遺伝子組換えを用いた遺伝子治療は、主にウイルスを運び屋として外来の遺伝子を体細胞に導入する方法で、アデノシンデアミナーゼ（ADA）欠損症などの治療に使われてきました。しかし、ウイルスベクターの意図していない作用によって白血病が発症するという不幸なことも起こりました。ゲノム編集はゲノム中の狙った遺伝子を効率よく破壊・改変できるため、これまでの遺伝子組み換えを用いた遺伝子治療に代わる治療法として期待されています。体細胞のゲノム編集治療については、遺伝性疾患・がん・エイズなどを標的として、実験動物を用いた研究やヒトの臨床試験が多く進められています。たとえば、がん患者からT細胞を取り出し、がん細胞への攻撃力を高めるように抗原受容体の遺伝子を編集してから体内に戻す手法（CAR-T法）については、すでに一部のがんの治療に用いられています。また、iPS細胞（induced pluripotent stem cell: 人工多能性幹細胞）を用いる方法も考えられています。たとえば筋ジストロフィーの患者の皮膚の細胞からiPS細胞を作り、この病気の原因となるジストロフィン遺伝子をゲノム編集で改変したのち筋細胞に分化させ、体内に戻すという方法です。これらの方法は有効な治療法として期待されていますが、導入した細胞以外の細胞は変異をもったままなので、その効果を持続させることが難しいと考えられます。遺伝性疾患をもつ患者が子どもに遺伝子の変異を伝えないためには受精卵や胚のゲノム編集をおこなう必要があります。しかし、後述のように、ヒト胚のゲノム編集には安全性の課題やさまざまな倫理的・社会的問題があり、現在はヒト胚のゲノム編集の臨床応用（ゲノム編集した胚を母胎に戻し子どもを出生させること）は禁止されています。

第四節　ゲノム編集の技術的問題点と安全性[7-13)]

4.1　オフターゲット効果とゲノム再編成

ゲノム編集をヒトに応用する場合には、克服すべき多くの課題があります。まず技術上の問題点としてオフターゲット効果があります。ガイドRNAは、標的とする遺伝子の塩基配列と相補的な約20塩基の配列をもつように設計されています。この20塩基と完全に一致する配列があらわれる頻度は、平均して4の20乗すなわち約1兆塩基対に1回であり、ヒトのゲノム（約30億塩基対）の中には1回あるかないかの頻度でしか存在していないことになります。この配列の相補性がゲノム編集における標的特異性の高さを決定づけているわけですが、20塩基が完全に一致しなくても、ガイドRNAの配列の一部が一致していると、ある確率で弱く結合してしまい、目的の遺伝子以外の部位でCas9がDNA鎖を切断してしまう可能性があります。このように目的とは異なる位置で切断が起ることをオフターゲット効果とよびます。また、たとえ目的の位置で切断されたとしても、切断部位において意図していないゲノムの大規模な欠失や再編成（染色体の逆位、転座）が生じることもあります。また、受精胚にゲノム編集を行なった場合には、ゲノム編集のタイミングによって（受精卵の分裂の程度によって）遺伝子の改変が起こった細胞と起こっていない細胞が混在した状態で胚発生が進むことがあり、これをモザイクとよびます。

培養細胞や実験動物を用いた基礎研究では、ある頻度でオフターゲットやゲノム再編成やモザイクが生じてもそれほど問題にはなりません。それは、ゲノム編集を行った多くの細胞や動物の中から、目的どおりにゲノム編集された細胞や動物だけを選別することができるからです。しかし、ヒト胚に応用する場合には、たとえわずかな頻度であってもこのような不具合が生じた場合、その胚を排除することには倫理的問題があります。また、ヒト胚のゲノム編集で意図しない遺伝子の改変が生じると、子どもの代だけでなく子孫にまで伝わることになり、人間集団にいったんこのような変異が生じると簡単にはもとに戻せません。ゲノム編集にともなって生じるオフターゲット効果やゲノムの再編成については、そのリスクを最小限に抑える技術を開発することが重要な課題です。特に、遺伝子変異疾患の治療には遺伝子の変異を元に戻すノックインの操作が必要ですが、この場合には編集効率が低くなりますので、編集効率をさらに高くする技術の開発が必要となります。

このようなことから、最近では、従来のCRISPR-Cas9法よりも編集効率が高く、オフターゲットやゲノム再編成が少ないゲノム編集技術の改良が進められています[15)]。たとえば、Cas9のDNA切断酵素活性を失わせ、その代わりに遺伝子組換え酵素をガイドRNAの結合部位に引き寄せることで、ゲノムの再編成を防ぎノックイン効率を高めるような手法が開発されています[16)]。しかし、どのような科学技術についてもいえることですが、どれだけ改良がなされても編集効率を100%、編集ミスを0%にして、完全に目的どおりに遺伝子を編集することは不可能です。そのリスクを十分に理解したうえで、メリットがデメリットを大きく上回ると判断されたときにのみ、ヒトへの応用が可能となるでしょう。

4.2　遺伝子改変の有害性予測の難しさ

もし技術的な問題が解消して目的とする遺伝子だけが編集されたとしても、まだ安全性についての問題点があります。それは、私たちはまだヒトの遺伝子やゲノムの機能を完全に理解しているわけではないということです。ヒトの約2万個の遺伝子の中には機能のわかっていないものが多くありますし、機能がわかっている遺伝子についても別の未知の機能をもっている可能性があります。つまり、ある遺伝子を破壊したときに、すでにわかっている機能とは別の機能が働かなくなる可能性があります。たとえば、賀建奎はエイズウイルスに感染しにくいようにCCR5という遺伝子をゲノム編集したといわれていますが、CCR5は白血球の表面に発現していて細胞遊走因子の受容体としても働きますし、この遺伝子がないとインフルエンザウイルスなど他のウイルスに感染しやすくなるともいわれています。この例からもわかるように、遺伝子やゲノムに関する私たちの知識はまだまだ不十分であり、一つの遺伝子の改変が想定外の悪影響をおよぼす可能性があることを認識しておかねばなりません。

4.3　ヒト胚発生の特異性[17)]

ヒト胚のゲノム編集にはヒトの胚発生に関する知識が不可欠ですが、胚発生に関する知見の多くは実験動物（特にマウス）を用いて得られたものです。初期胚発生においては生物種間での違いが大きいことが知られていますが、マウスとヒトの胚でも発生のタイミングや遺伝子の発現パターンや機能がかなり異なっていることが最近わかってきました。また、ヒトの胚形成はマウスと比べて減数分裂や細胞分裂の異常が多く、着床率も低い傾向があることも知られています。今後、ヒト胚のゲノム編集を行うのであれば、ヒトの胚発生にかかわる知識を深めていくことが必要となります。

第五節　ヒト胚のゲノム編集の倫理的・社会的問題点[7-13、18-21]

上述のように、ヒトの体細胞のゲノム編集については臨床研究がすでに始まっています。一方で、ヒトの生殖細胞や胚のゲノム編集については、たとえ技術上の問題点や安全性の問題が解決されたとしても、その実施にはさまざまな倫理的・社会的な問題があります。

5.1　ヒト胚を取扱うことの倫理的問題

ヒト胚のゲノム編集では受精卵や胚が用いられますが、人へと成長し得る受精卵や胚を研究材料として作成・利用・廃棄してよいのかという倫理的問題が生じます。ヒトはいつから人格をもった人間になるのかについては、国や宗教によっても個人によっても考え方が異なり、それにともなってヒト胚の使用は絶対に禁止するべきとする意見から、余剰胚（不妊治療で使われなかった胚）の利用だけは容認するという意見や、基礎研究目的であれば新規胚の作成も容認するという意見まで、さまざまです[20]。国内では、総合科学技術会議が「ヒト胚の取扱いに関する基本的考え方」を示し、その後、逐次見直しが進められています[22]。そこでは、ヒト胚は「人の生命の萌芽」と位置付けられ、「人の尊厳という基本的価値を維持するためヒト受精胚を損なう取扱いは原則として認められない」とする一方で、「生殖補助医療・先天性難病に関する研究やヒトES細胞の樹立を目的とする場合には例外的に容認し得る」として、新規胚の作成も容認しています。これらの基礎研究は「人の健康と福祉に関する幸福追及の権利」に沿うものであり、これに応えるための受精胚の取扱いについては例外的に容認するという考え方をとっています。「ヒト胚の生命の萌芽としての尊厳」と「人の幸福追求権」のはざまで、社会的合意が得られるところを探っているように思えます。一方で、「ヒト胚は胎内に戻さず、取扱いは原始線条形成前に限る」としており、ヒト胚の臨床応用（胎内に戻して子どもを出生させること）は禁じられています。

5.2　ゲノム編集をエンハンスメントに用いることの問題点[13、21]

ゲノム編集は病気の治療だけでなく外見・運動能力・知的能力などを高めることにも応用できる可能性があります。たとえば、肉厚のマダイはミオスタチンという遺伝子を破壊して作られますが、これと類似した機能をもつヒトの遺伝子を破壊すれば筋肉隆々の人間を作ることができるかもしれません。このように「健康以上」を目的とすることをエンハンスメント（強化）とよびます。遺伝学者のジョージ・チャーチは人の強化を引き起こす可能性のある遺伝子リストを作成していますが、その中には、肉体強化、学習能力の強化、放射能に対する耐性強化、精神力の強化、必要睡眠時間の減少を可能にする遺伝子などがあげられています[23]。世論調査では多くの人がゲノム編集のエンハンスメントへの応用には否定的ですが[24]、簡単な技術であるため独裁者、富裕者あるいは優生思想をもつ科学者などが規制を無視して実施する可能性がないとはいえません。また、医療と強化の境界はあいまいで、はっきりと線引きできるものではありません[21]。たとえば、遺伝性疾患である筋ジストロフィーの患者に対して筋力を回復させる場合は治療行為と考えられますが、高齢者の加齢に伴う筋力の低下（サルコペニア）を回復させる場合は治療でしょうか、強化でしょうか。スポーツ選手が筋肉を断裂した場合に、筋肉の損傷を回復すると同時に増強させた場合はどうでしょうか。ゲノム編集は、最初は病気の治療に用いられたとしても、いつの間にかずるずるとエンハンスメントにも応用される可能性があります（滑り坂論）。したがって、もし、将来、治療に用いられることになったとしても、ゲノム編集でしか治療できない重篤な遺伝性疾患に限定するような厳格な法規制をしなければ、エンハンスメントへの応用をくいとめることはできないでしょう。次項で述べるように、ゲノム編集によるエンハンスメントが広がると、人類社会に新たな差別や優生思想がもたらされる危険性があることを考えておく必要があります。

5.3　新たな差別や優生思想を生み出さないか

ヒト胚に対するゲノム編集は、治療であれ強化であれ、特定の性質をもつ人間を意図的にデザインし変更するという意味をもちます。このことは、すでに出生前診断でも問題になっていますが、命の選別や優生思想につながっていきます。人の質的向上を目的として優良な遺伝的形質を保存し改善しようとすることはまさに優生思想そのものであって、かつてナチスではこの思想に基づいて強制断種や大量虐殺が行われました。日本でも旧優生保護法のもとで、特定の疾病や障がいをもつことなどを理由に、本人の同意なく不妊手術を強制することが 1996 年まで公然と認められていたのです。しかし、人の優劣をだれがどういう基準で判断できるというのでしょうか。その時の安易な価値判断で決められるものでは決してありません。人のゲノムのような天から与えられたものに人為をもちこんではならないとする考えが基本的人権の根本であると思われます。このような観点から、ヒト胚のゲノム編集はたとえ病気の治療が目的であっても非常に慎重であらねばなりません。

もし、将来、ゲノム編集を用いたエンハンスメントが広く実施されるようになった場合には、新たな社会問題が生じる可能性もあります。映画『ガタカ』では、遺伝子操作で「優れた」能力を獲得した「適性者」と、自然妊娠で生まれた「不適正者」に分断された未来社会が描かれていますが、このような遺伝子操作の有無による格差社会が生じないとも限りません。また、経済格差によってゲノム編集を受けることのできる人とできない人の間で、さらに格差が広がるという可能性も考えられます。格差社会が世代を重ねれば、生物学的な種の分離が生じる可能性も考えられます。また、病気の治療に用いられた場合であっても、治療を受けなかった人やその病気に対する偏見や差別をもたらす可能性があります。出生前診断についても同じような懸念がもたれていますが、病気に対する偏見や差別をなくし、病気や障がいを人間の多様性の一つととらえて受け入れることのできる社会、その人たちが暮らしやすい社会を作っていくことがもっとも重要であると思われます。

5.4　子どもの自律性への侵害[20)]

ヒト胚のゲノム編集には子どもの人権や自律性に対する侵害という問題もあります。ヒト胚のゲノム編集は、治療であっても強化であっても、親の希望を反映したものであって、当然ながら生まれてくる子どもの意思を反映したものではありません。しかも、生まれたあとで子どもが元に戻したいと思っても、改変した遺伝子は元には戻せず、さらに次の世代にも引き継がれることになります。子どもの幸せを願ってのことであっても、胚のゲノム編集には不可逆性のリスクを子どもに負わせる可能性があることを親は十分に認識し、子どもを私物化するようなことがあってはならないと考えられます。

5.5　未来世代への倫理的責任

ヒト胚のゲノム編集は、ゲノム編集によって生まれた子どもだけでなく、その子孫にも改変された遺伝子が引き継がれます。オフターゲット効果のような意図しない遺伝子の改変についてはもちろんのこと、目的どおりの遺伝子が改変された場合でも、現在の知識では予測できない悪影響を及ぼす可能性があります。いったん人間集団に導入された遺伝子の改変を元に戻すことは困難です。また、多くの人がヒト胚のゲノム編集を治療やエンハンスメントに用いるような時代を想像すると、その時の価値判断で遺伝子に偏りが生じ、人のゲノムの多様性が失われる可能性もあります。生物は多様性が失われれば環境変化や感染症などに対して脆弱になるということを考えれば、人為的な遺伝子の改変は人類の進化にとって良いこととはいえないでしょう。私たちには、未来世代の人類への責任があることを忘れてはなりません。

5.6　ヒトのゲノムを人為的に改変することの倫理的・道徳的問題

最後に、人間が自らのゲノムを人為的に改変することの倫理的・道徳的問題について考えます。人間はこれまで、自然物である動物や植物に手を加えて農作物や家畜として利用してきました。いわば自然物を人工物化して利用してきたといえます。それでは、同じように、人間自らの遺伝子を好き勝手に改変することは許されるのでしょうか。このことに不安と恐れを感じるのはなぜでしょうか。この問題は、「人間とは何か」「人間性とは何か」という人間の根源にかかわる倫理的・道徳的問題を私たちに突きつけているように思われます。

ヒトは進化の産物である生物の一種であり、自然物であることは疑いのないところですが、ヒト胚のゲノム編集は、自然物であるヒトを人工物にしようとする技術だと、生物学者の勝木元也は述べています。「人は生物であり、自然物であるが、同時に人工物の担い手でもある。その人が、人の胚を操作することは、人を人工物化しようとする当てどころのない、人間の存在そのものへの無謀な挑戦に思えてならない。」と述べて、ヒト胚のゲノム編集に批判的な意見を述べています[25)]。つまり、胚のゲノム編集で人間を人工物化してしまうと、人間そのものの価値を貶めるのではないかというのです。

『ハーバード白熱教室』で著名なマイケル・サンデルは、スポーツ選手のドーピングを例にあげて、人為的な能力向上に対する道徳的な不正感情について述べています[21)]。そもそも優れたスポーツ選手は生まれつき運動能力が高い遺伝的な背景を備えている可能性が高いのですが（私たちがいくら努力しても大谷翔平選手のような活躍はできないでしょう）、私たちはこのことでスポーツ選手が不公正であるとは考えません。しかし、ドーピング薬やゲノム編集（遺伝子ドーピングとよばれています）によって運動能力を向上させたアスリートに対しては公正でないと感じます。それは、自然の生殖で与えられたランダムな（予測不可能な）組み合わせで生まれた場合の遺伝的な差はあっても良しとし、人為的操作で遺伝子が書き換えられた場合にはこれを不可とする本性が私たちに備わっているからだと思われます。サンデルは、人間には本来、「人間らしい能力に備わっている被贈与的性格」を尊重する性向が備わっており、「生の被贈与性（giftedness of life）が正しく理解されるならば、プロメテウス的な計画には制約がかけられ、ある種の謙虚さが生まれる」と述べています[21]。ここでプロメテウス的な計画とは、自然を征服し、技術や知性を人間のために進歩させるという意味で使っています。つまり、自然な生殖によって天から与えられた遺伝的性質（被贈与的性質）を尊重し、人為的な操作によって得られた能力（プロメテウス的な計画）には反発や不信感を覚えるのというのが人間に備わった道徳的・倫理的本性であると考えるわけです。この考えに立てば、ヒト胚のゲノム編集は天からの「被贈与性」を侵す行為であって、人間の尊厳をないがしろにする非倫理的・非道徳的な行為であるといってよいでしょう。一方で、重篤な遺伝性疾患を治療するということも人間の尊厳を守るために必要な行為であると考えられますので、ヒト胚へのゲノム編集は、もし将来行われるとしても、エンハンスメントには決して用いるべきではなく、道徳的・倫理的な本性を損なわないごく限られた範囲内の治療行為に極力留めておくべきなのでしょう。

第六節　ゲノム編集の規制とこれから

遺伝子組換え技術の創始者であるバーグは、1975年、アシロマ会議を開催し、その技術の内包する危険性に対処できるまでは研究を一時中断することを決定しました。これまで何事にも束縛されずに自由に研究するのがあたりまえだった科学者が、科学技術の危険性を警告し、自主的に研究を規制し封じ込めようとした点で、画期的なことといえるでしょう[4]。同じ考え方はゲノム編集技術にも引き継がれ、2015年に第1回ヒトゲノム編集国際サミットが開催されました。そこでは、ヒトの体細胞のゲノム編集の臨床研究は推進すべきであること、ヒト胚のゲノム編集については、基礎研究は容認するが、臨床応用には安全性や倫理的・社会的な多くの課題があり、それらが解決されるまでは実施してはならない、との声明が出されました[26]（皮肉なことに、第2回のこの会議で賀建奎がゲノム編集ベビーの誕生を発表することになりました[5]）。ただし、安全性の問題が解決され、社会的合意が得られた場合にはこの見解は見直されるべきだとも述べており、将来にわたっての禁止を表明しているわけではありません。

現在、日本を除くG7諸国や中国では、ヒト胚のゲノム編集の臨床応用に対して罰則付の法律で禁じています。しかし、日本では総合科学技術会議による考え方[22]や、文部科学省と厚生労働省の専門家委員会による指針[27]、日本学術会議による提言[24,28]において、ヒト胚の臨床応用の禁止が述べられていますが、法規制はなく、違反行為に対して法律で罰することはできません。賀建奎のような事例を防ぐためにも法律による規制が必要であると考えられます。

体細胞に対するゲノム編集の臨床応用が進められていく一方で、ヒト胚のゲノム編集は、安全性の問題が解決しておらず、倫理的・社会的問題が十分に議論されていない現状では、エンハンスメントへの応用はもちろんのこと治療目的であっても、実施してはならないということが国際的な合意事項となっています。遺伝性疾患の患者の胚のゲノム編集については、多くの場合には、ゲノム編集を行わなくても、出生前診断によって遺伝性疾患を引き継がない子どもをもうけることができるようになるでしょう（ここにも胚の選別という倫理的問題があります）。しかし、優性遺伝性疾患で両親のいずれかが2コピーの変異遺伝子をもつ（父方および母方由来の両方の相同染色体に変異がある）場合や、劣性遺伝性疾患で両親がともに2コピーの変異遺伝子をもつ場合には、変異遺伝子の継承を避けることができません。このように、代替の治療法がなく、ゲノム編集を用いなければ生存が危ぶまれるような重篤な遺伝性疾患については、胚のゲノム編集を容認するべきだとする意見も出てくるでしょう。これまで述べてきたように、ヒト胚のゲノム編集は、人の尊厳のあり方、優生思想や社会的差別につながる可能性、次世代への不可逆的な影響などの倫理的・社会的問題があることを十分に考慮した上で、慎重に議論を進めていくことが必要です。そのためには、医者・科学者だけではなく、哲学・宗教・法学・社会学の専門家や政策担当者、そして市民を含めた広い立場の人々が参加して議論を進めていくことが必要です。さらに、人類全体にかかわる問題ですので、国際的に協調して議論を進めていくことも重要であると思われます。

おわりに

この稿では、人間が自らの遺伝子を操作できる時代となった現在を「生命科学の転換点」ととらえ、ゲノム編集の現状と問題点をみてきました。20 世紀後半からの生命科学の爆発的な進歩は、私たちの生活に大きな恩恵をもたらしてきました。遺伝子組換えによって有用な医薬品が作られ、ゲノム解析によって多くの病気の原因が明らかにされてきました。PCR 法や mRNA ワクチンは新型コロナウイルス感染症の対策に大きく貢献しています。一方で、生命科学の発展のスピードはあまりに速く、ゲノム編集でデザイナー・ベビーが生まれる時代が来るというような話を聞くと、私たちの人間性が置き去りにされていくのではないかという不安な気持ちにさせられます。

この稿の冒頭で紹介した『人間に未来はあるか』では、当時、実験動物でしか成功していなかった体外受精が、将来はヒトに応用されて「試験管ベビー」が生まれるだろうとの予想が述べられています。この本が出版されて 10 年後の 1978 年に、ロバート・エドワーズがヒトの体外受精にはじめて成功し、初の体外受精児が生まれました。日本では 1983 年に東北大学で国内初の体外受精児が生まれています。当時は、神の領域を侵すものといった批判や懸念がありましたが、今では生殖補助医療の一つとして広く普及しており、これまでに体外受精で生まれた子どもは国内では 70 万人を超え、2019 年には出生児の 14 人に 1 人が体外受精児であったと報告されています[29)]。ヒトの生殖への人為的介入の是非については、出生前診断の問題も含めて、今も議論のあるところですが、新しい技術が、社会のニーズや倫理感の変化に応じて、時代とともに広まっていくようすがわかります。

それでは、ゲノム編集による遺伝子改変はこれから広まっていくのでしょうか。どこまでが許されて、どこからは許されないのでしょうか。それを決めていくのは私たち自身です。胚のゲノム編集でいったん書き換えられた遺伝子は、集団に広まればあとに戻すことはできません。ホモ・サピエンスが誕生してから約20万年のあいだ、人類の生活様式は大きく変わりましたが、ゲノムの配列はほとんど変化していません。ゲノム編集は人類が自らの遺伝子を書き換え、人類の進化を操作し、超人類を生み出す力をもっています（ユヴァル・ノア・ハラリはこれを「ホモ・デウス」とよんでいます[30)]）。人類はよりよき形質を求めて自らの遺伝子を改変しホモ・デウスとなるのでしょうか。何世紀か後に振り返ってみたときに、21世紀初頭の現在は人類としての転換点に立っていたことを知ることになるのかもしれません。

> 人間の愚かさをけっして過小評価してはならない。
> 人間の愚かさの治療薬となりうるものの一つが謙虚さだろう。
>
> （ハラリ著『21 Lessons』の「戦争」の項より[31)]）

未来の人類に厄災をもたらさないためにも、現在に生きる私たちには、目先の損得や安易な論理展開にとらわれることのない賢明な判断が求められているといえるでしょう。科学技術を使って「できること」と「実際に使うこと」は違います。生命操作技術の発達した今こそ、謙虚に、「人間とは何か」、「人間の尊厳とは何か」ということを問い直してみる必要があるように思えます。

註・参考文献

1）ゴードン・R・テイラー、『人間に未来はあるか』、渡辺格、大川節夫訳、みすず書房、1969.（新版、1998）
2）ミシェル・モランジュ、『生物科学の歴史』、佐藤直樹訳、みすず書房、2017.
3）H・F・ジャドソン、『分子生物学の夜明け』、野田春彦訳、東京化学同人、1982.
4）シッダールタ・ムカジー、『遺伝子：親密なる人類史』、田中文訳、早川書房、2018.
5）詫摩雅子、ゲノム編集ベビーの衝撃、日経サイエンス、49巻2号、pp. 72-77（2019）.
6）日本経済新聞、2019年12月30日の記事
7）Doudna, J. A., Charpentier, E., The new frontier of genome engineering with CRISPR-

Cas9. Science, 346, 1258096 (2014).
8) ジェニファー・ダウドナ、サミュエル・スターンバーグ、『クリスパー：究極の遺伝子編集技術の発見』、櫻井祐子訳、文藝春秋、2017.
9) ウォルター・アイザックソン、『コード・ブレーカー：生命科学革命と人類の未来』、西村美佐子、野中香方子訳、文藝春秋、2022.
10) 青野由利、『ゲノム編集の光と闇』、ちくま新書、2019.
11) ケヴィン・デイヴィス、『ゲノム編集の世紀：「クリスパー革命」は人類をどこまで変えるのか』、田中文訳、早川書房、2022.
12) ネッサ・キャリー、『動き始めたゲノム編集』、中山潤一訳、丸善出版、2020.
13) ポール・ノフラー、『デザイナー・ベビー：ゲノム編集によって迫られる選択』、中山潤一訳、丸善出版、2017.
14) 厚生労働省ホームページ「ゲノム編集技術応用食品等」
https://www.mhlw.go.jp/stf/seisakunitsuite/bunya/kenkou_iryou/shokuhin/bio/genomed/index_00012.html
15) Liu, G., Lin, Q., Jin, S., Gao, C., The CRISPR-Cas toolbox and gene editing technologies. Mol. Cell, 82, 333-347 (2022).
16) Wang, C., et al., dCas-based gene editing for cleavage-free genomic knock-in of long sequences. Nat. Cell Biol., 24, 268-278 (2022).
17) 武田洋幸、ゲノム編集のヒト胚等への応用について、学術の動向、25巻10号、pp. 12-18 (2020).
18) Almeida, M., Ranisch, R., Beyond safety: mapping the ethical debate on heritable genome editing interventions. Humanit. Soc. Sci. Commun., 9, 139 (2022).
19) 香川知晶、『命は誰のものか（増補改訂版）』、ディスカヴァー携書、ディスカヴァー・トゥエンティワン、2021.
20) 石井哲也、ゲノム編集児の人権と親の家族観、学術の動向、25巻10号、pp. 46-53 (2020).
21) マイケル・J・サンデル『完全な人間を目指さなくてもよい理由：遺伝子操作とエンハンスメントの倫理』、林芳紀、伊吹友秀訳、ナカニシヤ出版、2010.
22) 総合科学技術・イノベーション会議「「ヒト胚の取扱いに関する基本的考え方」見直し等に係る報告（第三次）」
https://www8.cao.go.jp/cstp/tyousakai/life/dai3ji_hokokusho
23) George Church 研究室のホームページ
https://arep.med.harvard.edu/gmc/protect.html
24) 日本学術会議哲学委員会提言「人の生殖にゲノム編集技術を用いることの倫理的正当性について」
https://www.scj.go.jp/ja/info/kohyo/pdf/kohyo-24-t292-5.pdf
25) 勝木元也、人は自然物である－人工物ではない、学術の動向、25巻10号、pp. 28-33 (2020).
26) 第1回ヒトゲノム編集国際サミットの声明
https://www.ncbi.nlm.nih.gov/books/NBK343651/
27) 厚生労働省のホームページ「ヒト受精胚を用いる生殖補助医療研究等に関する専

門委員会」
https://www.mhlw.go.jp/stf/shingi/other-kodomo_145015_00003.html
28）日本学術会議科学者委員会提言「ゲノム編集技術のヒト胚等への臨床応用に対する法規制のあり方について」
https://www.scj.go.jp/ja/info/kohyo/kohyo-24-t287-1-abstract.html
29）読売新聞、2021年9月14日の記事
30）ユヴァル・ノア・ハラリ、『ホモ・デウスーテクノロジーとサピエンスの未来』、柴田裕之訳、河出書房新社、2019.
31）ユヴァル・ノア・ハラリ、『21 Lessons』、柴田裕之訳、河出書房新社、2019.

第六章　20世紀から21世紀への転換点と新興感染症のリスク

押谷　仁

はじめに

人類の歴史は感染症との闘いの歴史であると言っても過言ではない。18世紀まで人類の平均寿命は40歳未満だったとされているが、当時の死因の多くは感染症によるものであったと考えられている。しかし、第二次世界大戦の前後から相次いで抗菌薬やワクチンなどが開発され実用化されていくにしたがい、1960年代から70年代には「感染症の時代は終わった」というような感染症に対して楽観的な見方が広がっていた時期もあった[1)]。日本でも大正から昭和の初期にかけては死因のトップは結核であったが、結核に対し有効なストレプトマイシンが開発されたことにより、結核による死亡者は激減していった。しかし1980年代に入るとさまざまな新たな感染症の問題に人類は直面することになる。1981年にはアメリカで最初のAIDS（Acquired immunodeficiency syndrome）の患者が確認され、その後それがHIV（Human immunodeficiency virus）というウイルス感染症によるものであることが明らかになる。さらに1980年代から1990年代にかけてイギリスで狂牛病[2)]の問題が大きな社会問題ともなり、インドでのペストの流行や南米での大規模なコレラの流行が起こるなど人類にとって感染症は脅威であり続けていることが徐々に明らかになっていった。さらに1980年代後半以降大きな課題として認識されるようになってきたのが、人類にとっての新たな感染症である新興感染症である。1990年代の初めまでには新興感染症が21世紀の人類の大きな脅威となる可能性があることは指摘されていたが、実際に21世紀に入ると相次いで大規模な新興感染症の流行が起きている。しかし、そういった自然の警告とも言える流行が相次いで起きてきたにもかかわらず、世界は新興感染症に対する十分な備えがないままに新型コロナウイルス感染症(COVID-19)[3]のパンデミックを迎える。

グローバル化の進んだ21世紀では新興感染症のリスクはこれまでにないレベルまで増大しているが、新興感染症の出現は21世紀になって初めて起きたわけではなく、3000年以上前から繰り返し起きてきていることがわかっている。特に、時代の転換点に新興感染症の流行がさまざまな要因で起きてきていることも近年の研究から明らかになってきている。2019年に最初の感染者が報告されたCOVID-19のパンデミックが終息する可能性は低く、今後も流行を繰り返しながら人に定着するウイルスとなっていくと考えられる。仮に、COVID-19が通常の感染症として扱える時が来たとしても、新たな新興感染症の出現は起こるという前提で、将来の対応を考えていく必要がある。そのためには過去の転換点に起きた、新興感染症の流行の要因とその対応からの教訓を学ぶことは重要であると考えられる。

第一節　新興感染症とそのリスク

1.1　新興感染症とは

新興感染症とは、①人類がそれまで感染したことのないような感染症が人類の間ではじめて出現したもの、②それまで人類に存在していた感染症が急速に拡大したものあるいはその病原性が増大したもの、③それまで存在したが、その存在が知られていなかったものと定義することができる。COVID-19は、2019年末に人での感染がはじめて確認されるまで、人での感染は確認されておらず、上記の新興感染症の①の定義にあてはまる。これに対してジカウイルス感染症は1947年にウガンダではじめて人の感染が確認された感染症であり、それ以降も小規模な流行が起きていることは知られていた[1]。そのような感染症が2007年に北太平洋のマイクロネシア共和国で大規模な流行が確認された後、2015年末からブラジルを中心とした中南米で大規模な流行を引き起こす。その結果、非常に多くの小頭症の子どもが生まれた[1]。小頭症は母胎内での脳の発育が不十分な子どものことで死産となるかもしくは大きな障害を背負うことになる。ジカウイルスは2007年以降急速に地理的な拡大をしていたことがわかっており、同時にウイルスの病原性が変化した可能性もある。このような感染症は上記の新興感染症の定義の②にあてはまる。日本国内では西日本を中心として重症熱性血小板減少症候群（SFTS）という感染症が存在している。これはSFTSウイルスが原因の感染症であるが、このウイルスは2011年に中国ではじめて報告されたウイルスである[2)]。その後国内でも2013年に最初の感染者が確認されている[3)]。この感染症は人では非常に致死率の高い感染症であるが、シカなど野生動物間でマダニを介して伝播していたものが、マダニを介して人に感染したものだと考えられている。このウイルスは以前より東アジアに分布しており、人の感染も起きていた可能性がある。それが近年になって見つかったのは、生態系の変化やウイルス検出技術の向上などによるものだと考えられる。このように以前から存在していたと考えらえる感染症が新たに見つかったものも、上記の新興感染症の③の定義にあてはまる。

1.2　なぜ新興感染症は人類の脅威となるのか

新興感染症の多くは、もともとは動物に存在していた微生物が人に感染したものである（このような感染症は人獣共通感染症とよばれる）ことがわかっている[4)]。人獣共通感染症として人に伝播するような微生物をもともと保有している動物は自然宿主とよばれている。上記の例で言うと、COVID-19の原因ウイルスであるSARS-CoV-2の自然宿主はコウモリであると考えられており、ジカウイルスはサルなどで伝播していたウイルスが人のウイルスとして定着したものと考えられている。SFTSウイルスは前述のようにシカなどの野生動物が自然宿主であると考えられている。これらの微生物は自然宿主とは共存関係にあり、自然宿主にはまったく病気を起こさないかもしくは軽症の症状しか起こさない場合が多い。しかし、人はこのような微生物に対して免疫を持っていないために、感染が起こると重症化し致死率も高くなる場合がある。

アフリカにおいて繰り返し流行を起こしているエボラウイルス病[5]も1976年に最初の人での感染が確認されているが、2014年には西アフリカでそれまでにはない大規模な流行を起こしており、この感染症も新興感染症と位置づけることができる。エボラウイルス病の自然宿主もコウモリである可能性が高く、コウモリではほとんど症状がないと考えられているが、人での致死率は高いことが知られている。人への感染は多くの場合コウモリから霊長類などの別の動物を介して起きていると考えられている。このエボラウイルス病のように自然宿主とは別の動物を介して人に感染することも多くあり、自然宿主と人の間を媒介する動物のことを中間宿主とよんでいる。中間宿主も、その微生物に対して免疫を持たないことになり、重症化する場合もある。実際にエボラウイルスによってアフリカのゴリラの多くが死亡したというようなことも報告されている[6]。

1.3　新興感染症はどのような経過をたどるのか

新興感染症が人に出現してから後、どのような経過をたどるかについてはさまざまなパターンが存在している[7]。たとえば上記のSFTSの場合は、マダニが媒介する感染症であり、人から人に伝播することはまれである。これに対してエボラウイルス病の場合は、いったん人の感染が起こると、感染者の血液などに触れることで人から人への感染が起こり得る。アフリカでは1976年以降、エボラウイルス病の数百人規模の流行は数多く報告されている。2014年から2016年にかけては西アフリカのギニア・シエラレオネ・リベリアの3か国を中心に大規模な流行では、2万8000人以上の感染者と1万1000人以上の死亡者が報告されている[8]。これらの流行においては、いったん動物から人に感染した後は、人から人への感染で流行が拡大していったものである。しかしエボラウイルスが人に定着したことはなく、西アフリカでの大規模な流行を含めこれまでの流行はすべてさまざまな対策を実施することで封じ込められてきている。

これに対して人に新たに出現した新興感染症が人に定着していくこと

も起きてきている。例えば、インフルエンザのパンデミック（日本では新型インフルエンザともよばれる）は、もともとカモなどの野生の鳥が持っているA型インフルエンザが、ブタを介するなどして人に感染することによって起こるとされている。これは鳥のウイルスは通常は人に感染しにくいが、ブタの中で人に感染しやすいように変異したウイルスが出現することで、人の感染が起こると考えられている[9)]。このようなメカニズムで出現したインフルエンザウイルスは、毎年のように流行する季節性インフルエンザとは大きく異なるウイルスだということになる。そのために人類の多くはそのようなウイルスに対し免疫を持たず、世界規模の大流行、すなわちパンデミックを起こす。インフルエンザのパンデミックは数十年に一度の頻度で起きてきており、20世紀にも1918年にスペインインフルエンザ、1957年にアジアインフルエンザ、1968年に香港インフルエンザとよばれるパンデミックが起きてきている。21世紀に入ってからも、2009年には2009（H1N1）パンデミック[10)]が起きている。いったんインフルエンザのパンデミックが起きると、2シーズン程度大規模な流行を起こしたのち季節性インフルエンザとして人の間で定着していく。1918年のスペインインフルエンザを起こしたウイルスはA(H1N1）という亜型であったことがわかっているが、このウイルスはその後も人の間で季節性インフルエンザとして定着し、いったんは1968年以降人の間で消滅したものの1977年に再出現している。2009年にパンデミックを起こしたウイルスもスペインインフルエンザの原因ウイルスの末裔であることがわかっている[11)]。このように新興感染症のなかには大規模な流行を起こしたのち、人に定着するようなものも存在する。

第二節　文明の発展と新興感染症

後で詳しく述べるように新興感染症のリスクは、21世紀に入りかつてないほどに増大していると考えられる。しかし、新興感染症は近代になってはじめて出現したものではないことがわかっている。たとえば、天然痘は天然痘ウイルスというウイルスが原因の感染症であるが、このウイルスは何らかの動物が保有していたウイルスが歴史上のどこかの時点で人の感染症として定着し、人で流行を繰り返すようになったと考えられている。それがいつだったのかは正確にはわかっていないが、紀元前1145年に死亡したとされているエジプトのラムセス5世のミイラには天然痘と考えられる瘢痕が残っており、天然痘は3000年以上前に人に出現したものと考えられる[1)]。その後、天然痘は繰り返し大規模な流行を起こし続け、1980年にワクチンにより根絶されるまで人類に大きな被害を与え続けた。麻疹は現在では世界中で小児を中心としてすべての地域にみられる感染症であるが、このウイルス感染症も人の間で長い歴史を持っている。麻疹の原因ウイルスである麻疹ウイルスはウシの感染症である牛疫の原因ウイルスである牛疫ウイルス（Rinderpest virus）がその起源であることがわかっている。このウシのウイルスが人に移行したのは最新の研究では2000年以上前のことであったと推計されている[2)]。このような新興感染症が出現してきた背景には文明の発展があったとされている。その経緯についてはベストセラーとなったジャレド・ダイアモンドの『銃・病原菌・鉄』（草思社）に詳しく述べられているが、ここではその経緯を簡単にまとめておきたい。

2.1　狩猟・採取社会と新興感染症

人類は地球上に出現してから長期間にわたり狩猟・採取生活を営んできた。この時代には人と動物との接点は主に狩猟を通してあったと考えられる。狩りをした動物の解体をする際などに動物の持つ微生物に暴露することはありうる。実際に今も狩猟を通して動物の微生物に人が感染するということは起きている。アメリカ獣医師会は動物の狩猟をする人が気をつけるべき感染症としてブルセラ症・ライム病（いずれも細菌感染症）・ハンタウイルス感染症など多くの感染症をあげている[3)]。しかし、狩猟・採取社会では動物との接触の頻度は限られており、さらに人々は家族などの小さな単位で独立して生活しており、人に感染した病原体が人から人へ伝播し続けるというようなことが起きることはなかったと考えられる。

2.2　農耕・牧畜社会と新興感染症

人類は原始的な狩猟・採取社会から農耕・牧畜社会へ移行していく。この段階になると、新興感染症のリスクは大きく増大したはずである。まず、動物を家畜化することで動物と人が日常的に接触するようになり、動物の病原体に暴露する機会が飛躍的に増えたということがある。また、動物を家畜化することで動物が野生環境よりも大きな集団で暮らすようになり、動物間での微生物の伝播を起こしやすくなったと考えられる。その結果、動物の感染症の流行が起こるリスクが増大するだけではなく、動物の中で微生物に変異が起こり、その中には人に感染しやすくなるような変異を遂げるものが出現してきたと考えられる。さらに、農耕・牧畜社会に移行する過程で人の生活も大きく変わっていく。まず、人も大きな集団で暮らすようになる。そうなると、動物の微生物に人が感染した場合に、集団内で人から人へ伝播が起きるリスクが生じる。さらに、人の集団間で交易などのつながりができると、人から人への微生物の伝播が長期間継続していくリスクも生じる。このような社会になってはじめて、新興感染症が人から人へと持続的に伝播していく環境が整ったことになる。

2.3　文明の発展と地域間交流

文明が発展すると都市への人口集中が進んでいくが、人口が集中した都市の衛生環境は人口増に追いつかず、衛生状況は急速に悪化していく。これが感染症の伝播をさらに加速していく。また、新たに生まれた技術や宗教が地理的拡大をしていく過程で、新興感染症の地理的な拡大が加速していったと考えられる。この時代になると、それまで一地域のみに存在していた感染症が他の地域に拡大していく。天然痘や麻疹はおそらく文明の発達とともに地中海周辺で人の感染症となったと考えられるが、天然痘は4世紀までには中国に伝播し、6世紀までには日本にも到達したと考えられている[1]。また、アメリカ大陸では家畜化される動物が少なく、新興感染症の出現は限定的だったとされており、天然痘や麻疹は、もともとアメリカ大陸には存在していなかった。これらの感染症は、スペインが南米を侵略することによりアメリカ大陸に運ばれたとされている。南米の先住民はこれらの感染症に対して免疫を持たなかったために、非常に多くの人が死亡したことが記録されている。インカ帝国が少人数のスペイン軍に滅ぼされたのも、これらの感染症の影響が大きかったとされている[4]。

2.4 産業革命・植民地支配

産業革命が起こり、欧米諸国が植民地支配に乗り出すようになるとさらに新興感染症のリスクは増大していく。コレラは南アジアに固有の風土病だったと考えられるが、それが大英帝国の拡大とともにアジアからヨーロッパに運ばれ、ヨーロッパやさらにアフリカやアメリカ大陸でもコレラの大規模な流行を起こすようになる。コレラはこれまでに7回のパンデミックを起こしたとされているが、最初のパンデミックは1817年に始まったとされている[5]。世界的大流行を意味するパンデミックは、世界が交易などでつながっていなかった時代には起きなかったはずで、おそらくコレラのパンデミックが本当の意味での世界で最初のパンデミックだったと考えられる。また、アフリカに限局して流行が起きていた黄熱病も、17世紀までに奴隷貿易によってアメリカ大陸に伝播したとされており、19世紀のアメリカの各地で甚大な被害をもたらしていた[6]。

2.5 グローバル化の時代

21世紀を迎え、グローバル化が急速に進展していくが、これにより新興感染症のリスクはかつてないレベルまで高まってしまっている。新興感染症のリスクを考えるためには新興感染症が人の間で出現するリスクと、人に感染した新興感染症が広く伝播していくリスクを考える必要がある。21世紀の新興感染症の出現リスクとしては、まず世界の人口が増加し、低・中開発国での経済発展とともに開発がこれまで人が住まなかった熱帯雨林などに広がっていったことがある。これは人が新たな微生物に暴露するリスクが増大することを意味している。また、低・中開発国、その中でも特に新興国とよばれる国々で食肉需要が急速に増大している。それに伴い、家畜の飼育数も人口増加を上回るスピードで増えている。しかもこのような国々では家畜の多くは必ずしも衛生的な環境で飼育されていないという問題や、冷蔵システムなどが整備されていないためにニワトリなどが生きたまま市場で取引されているという問題などがある。中国などアジアを中心として鳥インフルエンザウイルスの人での感染が2003年以降数多く確認されているが、その背景にはこのような不十分な家畜の飼育環境や市場の取引のあり方が関連しているとされている[7)]。出現した新興感染症が伝播するリスクはグローバル化により人の移動が爆発的に増えたことによりかつてないほど増加したことは明らかである。

第三節　転換期の新興感染症

新興感染症の大規模な流行の多くは、歴史の転換期に起きてきたことが記録されている。古くはローマ帝国の滅亡に感染症が関わっていたのではないかとも言われている。日本でも飛鳥時代の仏教伝来とともに天然痘が日本にもたらされ、その結果奈良時代の平城京で大規模な天然痘の流行が起きた可能性が指摘されている。しかし、ここでは記録がはっきりしている1）中世ヨーロッパのペスト、2）列強の争いと感染症（特に黄熱病とスペインインフルエンザ）、3）明治の日本の感染症（特にコレラ）、という3つの事例について歴史の転換期になぜ新興感染症が問題になるのかを考えていきたい。

3.1　中世のヨーロッパのペスト

ペストは細菌感染症であり、もともと中央アジアからモンゴル高原に広く分布していた、げっ歯類を自然宿主とする感染症である。それが14

世紀のヨーロッパに壊滅的被害をもたらしたことはよく知られている。その背景にはその当時ヨーロッパからアジアにかけて社会がさまざまな側面で大きな転換期を迎えていたという背景があったとされている。そのことについてはイギリスの歴史学者のブルース・キャンベルの『The Great Transition』（Cambridge University Press）という本に詳しく書かれている。世界は13世紀後半から寒冷期に向かい、干ばつや多雨などに見舞われ農業に壊滅的被害をもたらす。さらにウシの感染症である牛疫（麻疹ウイルスの起源であるRinderpestウイルスが原因の感染症）が大流行し家畜も大きな被害を受けたことが記録されている。そこに中央アジアの土着の感染症であったペストの原因であるペスト菌が何らかの変異を遂げ、そのペスト菌がモンゴル帝国のヨーロッパへの侵攻により地中海沿岸までもたらされたとされている。さらに、モンゴル帝国との戦いや、キリスト勢力とイスラム勢力の戦いなどもあり、ペストは地中海沿岸からヨーロッパ全土に広がっていったと考えられている。また、当時はヨーロッパの銀の産出量が激減しており、ヨーロッパの経済に大きな影響を与えていたと考えられている。つまり、気候変動・凶作・経済危機などに争乱などが加わり、14世紀のヨーロッパでペストの大流行が起きたことになる。この結果、ヨーロッパでは人口の3分の1程度が死亡したとされており、その後もペストの流行は継続して起き、ヨーロッパは人口減を伴う停滞期に入っていったとされている。ブルース・キャンベルは気候・社会・環境・生物・微生物・人間が複雑な生態系を形成しており、それらがある転換点（Tipping Point）を超えた時に一気に負のスパイラルに突入していったために壊滅的なペストの流行が起きた可能性を指摘している。

3.2　列強の争いと感染症

19世紀の終わりから20世紀初頭は、細菌学が急速に発展した時代でもある。ドイツに留学した志賀潔[1)]や北里柴三郎[2)]が細菌学の分野で活躍していたのもこの時代となる。しかしこの時代はウイルス性の新興感染症が世界を席巻していた時代でもある。黄熱病は、アフリカでサルの間で蚊を媒介して伝播していたウイルス感染症であったとされている。黄熱ウイルスに感染したサルを吸血した蚊がたまたま人を吸血すると人の散発的感染が起こりうる。これは「森林サイクル」とよばれている。しかしアフリカでも都市人口が増えると都市部で人から人に伝播し、人の間で大規模な流行を起こすようになり、これは「都市型サイクル」と呼ばれている[3)]。そのようにしてアフリカにのみ存在していた感染症であった黄熱病が 16 世紀には奴隷貿易とともにアメリカ大陸に伝播したと考えられている。19 世紀のアメリカでは繰り返し黄熱病の大規模な流行が起きていたことが記録されており、1878 年に南部のミシシッピを中心に起きた流行では 2 万人が死亡したと推計されている[4)]。19世紀のアメリカにとって黄熱病は最も重要な新興感染症であったことになる。さらに 1898 年にキューバの領有権をめぐりアメリカとスペインの間で起きた米西戦争では、黄熱病のために両軍兵士に多くの被害が起きたことが記録されている。特にスペイン側は 1895 年から 1898 年の間に 1 万 6000 人が黄熱病で死亡したと推計されている[5)]。これは現地のキューバ人は黄熱病に免疫があったのに対し、新たにやってきたスペイン人は免疫を持たなかったためだと考えられている。

この時、アメリカ政府はキューバにアメリカ軍に所属していた研究者であるウォルター・リード（Walter Reed）を派遣する。リードは 1900 年に黄熱病が蚊によって媒介されることを明らかにしたとされているが、それより以前に 1880 年代にキューバ人医師のカルロス・フィンレイ（Carlos Finlay）が黄熱病は蚊によって媒介されるという説を発表していた[6)]。さらにフランスは 1881 年からパナマ運河の建設に着手するが、1889 年に撤退することとなる。その背景には工事の技術的困難さとともに、多くの労働者が黄熱病やマラリア（マラリアも黄熱病と同様に蚊によって媒介される）によって死亡したことも影響しているとされている。その後にアメリカがパナマ運河建設に乗り出すが、アメリカは蚊のコントールを徹底することで黄熱病やマラリアの被害を最小限にすることができ、それが1914年パナマ運河の開通につながったとされている[7]。

20世紀に入りさらに列強の対立は深刻さを増し、1914年から1918年まで続く第一次世界大戦が起こる。その第一次世界大戦の末期にあたる1918年にインフルエンザのパンデミックが起こる。このパンデミックでは第一次世界大戦の死亡者の総数を大きく上回る5000万人が死亡したとする推計もある[8]。このパンデミックを起こしたインフルエンザウイルスは感染性が高かったことがわかっており、当時はまだインフルエンザウイルスの存在も知られておらず効果的な対策を取ることは困難であった。このため、仮に第一次世界大戦がなかったとしてもパンデミックは起きていたと考えられるが、第一次世界大戦にともなう兵士の移動がウイルスの拡散を加速したことは確実である。

このように19世紀の末から20世紀の初頭にかけて列強が世界各地に進出し、それによって新興感染症の問題は拡大していったと考えられる。さらに、世界が不安定化し戦争が起きたことも、黄熱病やスペインインフルエンザなどの新興感染症の被害が深刻化することにつながっていったと考えられる。

3.3　明治期の日本の感染症

日本も歴史の転換期に新興感染症の大きな被害を受けている。特に江戸時代後期から明治時代の転換期にコレラなどの大規模な流行が起きている。江戸時代までに天然痘や麻疹は日本列島に定着していたと考えられ、江戸時代にも流行を繰り返し起こしていたことが記録されている。また、インフルエンザパンデミックについても鎖国下の日本にも伝播していた可能性が指摘されている[9]。しかし、コレラについては江戸時代後期から明治時代にかけてはじめて日本に伝播し流行を起こしたと考えられる。前述のように最初のコレラのパンデミックは1817年に始まったと考えられているが、江戸時代後期の1822（文政5）年には日本でコレラの流行が起きていたことが記録されている[10]。おそらく今のインドから始まったコレラのパンデミックが何らかの経路で日本に伝播したものと考えられるが、正確な伝播経路はわかっていない。幕末の1858（安政5）年にはコレラの大規模な流行が記録されている。この流行は長崎に入港したアメリカのミシシッピ号の乗組員がもたらしたものであるとされている[11]。この流行は江戸まで伝播し、当時の江戸で7.6万人が死亡したとする推計もある[10]。さらに、明治時代に入り日本が開国すると、相次いでコレラの流行が起こる。1877（明治10）年に始まった流行は西南戦争と重なっており、西南戦争に出兵した兵士が各地にコレラを伝播させたこともあり、8000人を超える死亡者が出たとされている[10]。さらに1879（明治12）年の流行は中国（当時は清国）の厦門でまず流行が起き、その後愛媛県から始まった国内の流行が全国に拡がり、10万人を超える死者を出す大規模な流行となった[10]。1882（明治15）年には関東や東北で大規模なコレラの流行が起こり、仙台でも多くの人が死亡したと記録されている。この流行に際しては仙台市北部の台原に避病院（感染者の隔離のために作られた収容施設）が作られ、そこで死亡した人たちがさらに北の現在の水の森で火葬され集団埋葬されている。水の森には、今も火葬の跡に建てられた碑と、死者を供養するために建てられた叢塚という碑が残されている。

また1855年に中国雲南省の僻地から始まったと考えられているペストの世界規模の流行は、アジアだけではなくオセアニアやアメリカ大陸にも拡がっていく[11]。日本でも1890（明治23）年以降、ペストの流行が何度か起きたことが記録されている[12]。

このように日本でも江戸時代後期から明治時代にかけての時代の転換期に数多くの新興感染症の流行が起きていることがわかる。これは、江戸時代は鎖国が実施され国内の移動も厳しく制限されていたのが、明治時代に入り開国の方向に方針転換したこと、国内の移動が盛んになったこと、大都市への人口集中が進んでいったこと、さらには西南戦争など国内の不安定要素が増えていったことなどが関連していると考えられる。

第四節　21世紀の新興感染症リスク

4.1　新興感染症の脅威の認識と20世紀後半の新興感染症の流行

新興感染症は英語ではEmerging DiseasesあるいはEmerging Infectious Diseasesとよばれるが、このような新興感染症の概念が最初に提唱されるのは1971年のデイヴィド・センサー（David Sencer）らの論文だと考えられる[1)]。しかし新興感染症のリスクが広く認識されるようになったのは1980年代の後半のことである。特にステフェン・モース（Stephen Morse）らが1989年に新興ウイルス感染症についてのカンファレンスを開催したことが新興感染症の問題が広く認識されるきっかけになったとされている[2)]。1992年にはジョシュア・レーダーバーグ（Joshua Lederburg）（ノーベル賞を受賞した細菌学者）とロバート・ショープ（Robert Shope）（著名なウイルス学者）がEmerging Infections : Microbial threat to health in the United States（Institute of Medicine）というレポートを発表している。このレポートがきっかけとなりアメリカのクリントン政権は、感染症を国家安全保障上の脅威と位置づける。さらにレーダーバーグやショープが中心となり、1994年に新興感染症に関する最初のWHOの会議が開かれ、1995年5月にはWHOの世界保健総会（World Health Assembly）で新興感染症が議事として取り上げられ、同じ年にWHOにEmerging and Reemerging Disease[3)] のプログラムが立ち上がる。

1992年から1995年のこのような国際的な動きと前後して、世界各地で新興感染症の脅威が強く認識されるような流行が起こる。まず、1989年にはエボラウイルスの流行がアメリカバージニア州のサルの飼育施設で発生する[4)]。これは、フィリピンから輸入したサルから流行したと考えられている事例で、レストンエボラウイルスというエボラウイルスによるものである。レストンエボラウイルスはサルには高い感染性・病原性を示すものの人には感染しにくく、感染しても重症化しないとされている。しかし、このサルの飼育施設の流行では空気感染（Airborne Transmission）が起きていたと考えられている。アフリカに存在する人に対して病原性の高いエボラウイルスは通常は空気感染しないとされているが、ウイルスに変異が起こるかもしくは環境要因が整えばエボラウイルスも空気感染を起こす可能性があるということでこのレストンエボラウイルスの流行は大きな注目を集めた。さらにアメリカでは1993年に、アリゾナ・コロラド・ニューメキシコ・ユタ州が州境を接する地域の先住民の中でハンタ肺症候群の流行が起こる[5)]。ハンタウイルスは朝鮮戦争の際にアメリカ軍の兵士などで流行を起こしたウイルスであり、腎症候性出血熱という重篤な感染症を引き起こすことで知られていた[6)]。アメリカで最初に確認されたハンタ肺症候群は重篤な肺炎を起こし、朝鮮半島のハンタウイルスとは異なる疾患を引き起こすが、いずれも重篤な疾患であり、致死率も非常に高いという共通点がある。また、いずれのウイルスもげっ歯類（ネズミ）を自然宿主としている。また、1995年にはザイール（現在のコンゴ民主共和国）のキクウィト（Kikwit）という町で当時としては最大規模のエボラウイルス病の流行が起こり世界的にも注目されることになる[7)]。偶然だが、この流行は上記の新興感染症がはじめて取り上げられた世界保健総会（1995年5月に開催されていた）が行われていた最中に起きていた。

こういった流行が立て続けに起きたこともあり、新興感染症の脅威は世界的に広く認識されるようになる。1994年にはローリー・ギャレットの『The Coming Plague』（邦訳のタイトルは『カミング・プレイグ－迫りくる病原体の恐怖』（河出書房新社）という新興感染症を題材とした本が出版され、アメリカのベストセラー作家であるリチャード・プレストンも1995年に『Hot Zone』（邦訳のタイトルも『ホットゾーン』（早川書房））というエボラウイルス病などについての本を出版しており、日本でも大きな話題になった。また、同じ1995年に、ダスティン・ホフマン主演の『アウトブレイク』という映画が公開され、NHKが上記のキクウィトでのエボラウイルスの流行を扱った番組を制作するなど、新興感染症の問題は世界で大きく注目されるとともにそのリスクが広く認知されることになる。

さらに1997年には香港で高病原性鳥インフルエンザA（H5N1）の流行が起こり、人での感染も確認される。この流行では18人が感染し、そのうち6人が死亡するが、感染者の多くは重症のウイルス性肺炎を発症していた[8)]。このような病原性の高いウイルスによるインフルエンザパンデミックが起きた場合に、1918年に出現したスペインインフルエンザのような莫大な被害をもたらすパンデミックになる可能性があるという危機感から、日本を含む多くの国でインフルエンザパンデミック対策が進んでいく。さらに1998年から1999年にかけてはニパウイルスの流行がマレーシアで起こる。ニパウイルスは現在の正式な名称はヘニパウイルスであるが、このウイルスの自然宿主もコウモリであることが明らかになっている。マレーシアの流行ではコウモリからブタに感染し（つまりブタが中間宿主)、ブタから農場で働いていた従業員に感染したと考えられている。この流行では脳炎などのために100人を超える人が死亡している[9)]。

4.2　COVID-19パンデミック以前の21世紀の新興感染症

このように20世紀末には新興感染症に対する危機意識は、世界の中で一定程度高まっていたが新興感染症対策やパンデミック対策には大きな予算は割かれないという状況が続いていた。しかし、2002年に出現し、2003年に世界的な流行を起こした重症急性呼吸器症候群（SARS）の流行をきっかけにその状況は大きく変わっていく。SARSはCOVID-19と同様にそれまで人での感染の確認されていなかったコロナウイルスによる新興感染症でCOVID-19のパンデミックの対応を考える上でも重要な感染症なので、ここでは少し詳しくSARSの流行の経緯について見ていきたい。

SARSは21世紀に入り最初に発生した新興感染症とも位置づけられているが、グローバル化した世界の中で、航空機を介して世界に流行が短期間に拡大した最初の感染症であるとも言える。SARSの原因ウイルスであるSARSコロナウイルス（SARS-CoV）の自然宿主もコウモリであることがわかっている。SARS-CoVはコウモリからおそらく中間宿主であるハクビシンに伝播し、そこから人に感染したと考えられている[10)]。最初の人の感染例は中国の広東省で2002年11月16日に発症した症例だとされている。その後、2003年1月中旬までは、散発例しか起きていなかったが、1月末に1人の感染者が広東省の省都である広州の複数の医療機関で感染を拡げることにより、広東省での大規模な流行が起こる[11]。さらに広州の病院で働いていた64歳の男性医師が、病院で感染した後香港のホテルに滞在し、そこで感染を拡げることで香港だけではなく、シンガポール・ベトナム・カナダなどの国々に感染が拡大していく[12]。その後、北京や台湾などにも感染が拡大していく。SARSはCOVID-19に比べて感染性は低かったものの、病原性は非常に高く、ほとんどの感染者が重篤なウイルス性肺炎や重度の下痢症などにより重症化した。また、多くの流行は病院での院内感染として拡大していった。この流行では当初、中国政府が十分に国際社会と情報を共有しなかったことが世界規模の感染拡大につながったということで、中国政府の対応が国際社会から批判されることにもなる。しかし、2003年4月以降は中国を含め国際社会が協力して対策にあたったこともあり、流行は収束に向かっていき2003年7月初めにWHOはこのウイルスの世界的封じ込めに成功したことを発表する[13]。

SARSが出現した背景には、本来は野生動物であるハクビシンなどを食肉用として一部家畜化し、市場で生きたまま取引をしていたことがあるとされている。中国南部を中心にこのような野生動物は食肉用として高値で取引されており、中国の経済発展とともにそういった野生動物の需要が高まっていたこと、さらに野生動物の捕獲や飼育が農村部の重要な収入源となっていたこともあり、リスクのある野生動物の取引が厳格には禁止されていなかったということもSARSの出現の要因であったと考えられる[14]。香港は1997年にイギリスから中国に返還されたが、その後の中国の経済発展もあり2003年には香港と中国本土の間は非常に多くの人が行き来するようになっていた。上記の64歳の男性医師も広州から香港までバスで移動し感染を拡げてしまった。2002年以前にもSARS-CoVと近縁のウイルスは人の感染を起こしていた可能性もあるが、それ以前の中国であれば一地域で起きた原因不明の肺炎の流行として片付けられていたものであったのかもしれない。中国の経済発展とともに、中国が世界とより密接につながるようになったことが、SARSの国際的伝播につながったということだと考えられる。

SARSの流行は2003年7月初めまでに終息するが、それから半年も経たないうちに人類は新たな脅威に直面することになる。2003年年末から2004年の初めにかけて、相次いで人の感染が確認された高病原性鳥インフルエンザA(H5N1)の流行である[15)]。これらの流行では大規模なニワトリでの流行が確認されただけではなく、子どもを含む人の感染も多く確認され致死率も非常に高かった。このウイルスはさらにアジアだけではなく中東・ヨーロッパ・アフリカなどにも拡がっていき、人の感染もインドネシアなどアジアだけではなくエジプトなどでも報告されていく。SARSに次いでH5N1の世界的な流行が起きたこともあり、世界中でパンデミック対策の重要性が認識されるようになる。そのような動きに結果として水を差すことになるのが2009年に実際に起きた2009(H1N1)パンデミックである。SARSやA(H5N1)の流行をきっかけとして非常に病原性の高いウイルスによるパンデミックを想定した対策が世界中で考えられてきていた。しかし、実際に2009年に起きたパンデミックの致死率はこれまでのインフルエンザパンデミックと比べても例外的に低く、日本で確認された死亡者は200人足らずで、世界の死亡者数も20万人程度だったと推計されている[16)]。これは重症度の高いウイルスによるインフルエンザパンデミックが起きた場合、最悪数千万人が死亡することが想定されていたことと比べると、被害の程度は低かった。このパンデミックを契機として、国内でもインフルエンザパンデミックが起きても医学の発展した現代ではスペインインフルエンザのような被害は起こらないというような主張をする専門家も見られるようになり、社会全体のパンデミックへの危機感は薄れていく。その後、SARSやCOVID-19と同様にコロナウイルスによる新興感染症である中東呼吸器症候群(MERS)(2012年〜)や西アフリカでの大規模なエボラウイルス病の流行(2014-2016年)などもあったが新興感染症に対する国内外の危機意識は高まらないままに、世界はCOVID-19のパンデミックを迎える。

第五節　COVID-19のパンデミック

5.1　COVID-19出現と国際社会の対応

COVID-19は2019年の末までには人の間に出現していたと考えられている。COVID-19の原因ウイルスであるSARS-CoV-2の自然宿主もコウモリであることがわかっているが、コウモリから人にどのようにして伝播したのかは現時点では正確にはわかっておらず、中間宿主が存在していたかどうかもわかっていない[1)]。最初の流行が武漢の海鮮市場の周辺で起きたこと、その海鮮市場では野生動物が生きたまま取引されていたことが明らかになっており、それらの動物が中間宿主となっていた可能性もある。そうだとすると野生動物の取引が新興感染の出現リスクとなるということが繰り返し指摘されていたのに、それを継続していたことがCOVID-19の出現につながったことになる[2)]。

WHOがOutbreak NewsというウェブサイトにCOVID-19の最初の情報を掲載したのは2020年1月5日であったが、その間の経緯についても不明瞭な部分がある。1月5日に掲載された情報ではWHOの中国オフィスが2019年の12月31日に原因不明の肺炎の報告を受けた（WHO China office was informed）とされているが、誰が報告したのかということは書かれておらず、しかも2019年12月31日に情報をつかんでいながら2020年1月5日まで公表していなかった理由も明確にされていなかった[3)]。2021年5月にWHOの独立パネル（Independent Panel）が発表したレポート[4)]によると、2019年12月30日に武漢当局が病院に原因不明の肺炎に関する通知を送っていたことが明らかにされている。さらに、その情報を台湾当局が12月31日に察知して、直ちにWHOに通報したというのがこの間の経緯だったことが書かれている。WHOはSARSの流行をきっかけに、感染症など国際的に拡散するリスクのある事態に対応するための国際的合意文書である、国際保健規則（International Health Regulations; IHR）を2005年に大幅に改訂し、その規則はIHR（2005）と呼ばれている[5)]。IHR（2005）では国際的に脅威となる可能性のある事象（Potential Public Health Emergency of International Concern）を各国が検知した場合には、24時間以内にWHOに通報することが義務づけられている。2019年12月30日までには武漢の流行について、少なくても武漢当局はつかんでいたが、その情報はWHOには通報されていなかったことになる。台湾は中国政府の反対のためにWHOの正式メンバーではないが、危機管理上の必要性からIHRのネットワークには参加している。WHOへの通報はその台湾のIHRの窓口（IHR Focal Point）からなされたことになる。

さらにIHR（2005）では、WHOは国際的な脅威があると判断した場合には、緊急事態宣言（Public Health Emergency of International Concern: PHEIC）ができることになっている。PHEICを宣言する手続きとしては、まず緊急委員会（Emergency Committee）を招集し、緊急委員会がWHOの事務局長に提言をすることになっている。COVID-19に関する最初の緊急委員会は2020年1月22日に開かれている。しかしその日には結論を出せずに翌日（1月23日）に再度会議が開かれ中国側がプレゼンテーションを行ったとされている。その結果、緊急委員会はPHEICの宣言を見送るという結論を出す[6)]。実はこの1月23日は武漢とその周辺地域が封鎖（ロックダウン）された日である。おそらく中国側は武漢を封鎖することでこの流行を封じ込められるというような説明をしたものと思われるが、その後武漢とその周辺でそれまで報告されていた感染者数を大幅に超える感染者が存在する事実が明らかになり、さらに中国以外でも感染が急速に広がっていることも明らかになっていく。その結果、1月30日に再度招集された緊急委員会の提言に基づいてようやくPHEICを宣言する[7)]。

日本国内での最初の症例は1月15日に確認されていたが、1月20日までにはタイ（2例）・韓国（1例）でも感染が確認されていた[3)]。この時点で中国からWHOに報告された感染者は274例であったが[8)]、中国以外の国で4例の感染が確認されるということは、中国本土にこの時点で報告数を大きく超える感染者が存在していたことは容易に想定できた。データの解析から香港大学のグループは、1月25日の時点で武漢の感染者は7万5000人を超えていたという推計値を発表している[9]。このようなことを考えると本来は少なくとも2020年1月20日までに緊急事態宣言が発出されるべきであったと考えられる。前述の独立パネルの報告書はCOVID-19のパンデミックを阻止するチャンスがあったとすれば2020年2月までだったと結論づけており、中国政府・WHOを含めた国際社会の対応の遅れがそのチャンスを逃してしまったとしている。

COVID-19のパンデミック初期の感染拡大は主に武漢から世界中に広がっていったものと考えられる。中国は近年急速な発展を遂げてきているが、武漢は中国の中央部に位置し、自動車工業などの中国の工業のハブとして重要な役割を果たしてきた。さらに中国政府の一帯一路政策などもあり、国外で働く中国人の数は急激に増えていた。さらに中国での富裕層の数は急激に増えてきており、観光目的で海外を訪れる中国人の数も爆発的に増えていた。そのような背景があり、武漢は成田などを含め海外の主要都市と直行便で結ばれていた。COVID-19の感染は武漢を中心とする中国の空港から世界中に広がっていったと考えられる。武漢が封鎖される前に、すでにCOVID-19はヨーロッパにも拡がっていたことがウイルス学的解析でも確かめられている[10]。たった1人のSARSの感染者が広州からバスに乗り香港に移動して、香港のホテルで感染が拡大するという偶然が重なったために世界への流行の拡大が起きた2003年の世界と2020年の世界はまったく違うものになっており、COVID-19の世界的な拡大は起こるべくして起きたと考えるべきである。

その後イタリア・スペイン・イランなどでも大規模な流行が起きている事実が2月上旬までに明らかになり3月に入るとニューヨークでも流行が拡大していき、欧米の死者は急増していく。欧米では初期対応ができておらず、流行初期に非常に多くの感染者を見逃していたことがそのような大規模な感染拡大につながったことがその後の解析でわかっている[11]。そういった中でイギリス・オランダ・スウェーデンなどはロックダウンなどの対策を緩和することを発表したり（イギリス・オランダは専門家の反対などのため数日でその方針を撤回するがスウェーデンはその方針を維持する)、トランプ政権下であったアメリカではトランプ大統領がCOVID-19は深刻な脅威ではないと公言したりして、国際社会の足並みはそろわないままにパンデミックは世界中に拡散し膨大な被害を出し続ける。2021年末までに世界で550万人以上の死亡が報告されているが、WHOは超過死亡の解析(それまでの通常の年に比べてどの程度多くの死亡が発生しているかを解析する手法)によって実際の死亡者数はその3倍程度つまり1500万人近くが死亡していたとしている[12]。アメリカではすでに100万人以上が死亡しているが(2022年8月末時点)、これはアメリカでのスペインインフルエンザでの死亡者数の推計値である67万5000人[13]を大きく超える値である。

5.2 COVID-19に対する国内の対応

国内では最初の感染者が確認されたのは2020年1月15日であったが、その後も中国に渡航歴のある人もしくは渡航歴のある人との接触があったと考えらえる人での感染が次々に見つかる。さらに2月に入ると横浜沖で感染者が乗船していることが判明したクルーズ船(ダイヤモンド・プリンセス号)の対応に政府は追われることになる。国内では中国に渡航歴のある感染者を起点とする流行は、おおむね3月中旬までには収束させることができていた。しかし、その後の欧米や東南アジアなどで感染が急速に拡大していた事実がわかっていたにもかかわらず検疫の強化などの対応が遅れたために、中国以外の国から非常に多くの感染者が流入した[14]。このために国内での感染も急速に拡大し、2020年4月7日に最初の緊急事態宣言を出すことになる。

その後、2022年秋までに第1波から第7波までの流行が国内では起きていて、この間に確認された死亡者は4万人を超えている(2022年9月10日時点)。特に、第6波・第7波の流行では、それぞれ死亡者が1万人を超えている。COVID-19流行は今後も続くと考えられており、COVID-19の死亡者の大半は高齢者で発生していることから高齢化の進んだ日本では今後も死亡者は増え続けていく可能性が高い。

日本では2009年の2009（H1N1）パンデミックの後に新型インフルエンザ等対策特別措置法が成立し、緊急事態制限や外出の自粛要請・施設の使用制限などが可能となっていた。政府がこのような体制を整備してきたことは一定の評価がされるべきだと考えられるが、パンデミックが起きた際の具体的な対応の詳細はほとんど決まっていなかった。特にパンデミックが起きて非常に多くの感染者や重症者が発生するような事態に対応する具体的な対応はほとんど考えられてこなかった。国内でもインフルエンザパンデミックが起こると2～3000万人の感染者が発生することが想定されており、実際に2009年のパンデミックでも2000万人以上の罹患者が発生したと推計されている[15)]。特別措置法が成立してから毎年政府はインフルエンザパンデミックに対する訓練を行ってきたが、ほとんどの訓練において、国内で数人から数十人が発生したという想定で行われてきており、政府が緊急事態宣言をする手順を確認するだけで終わっていた[16)]。自治体や医療機関で行われてきた訓練も、たいていの場合は数人の感染者が発生した場合しか想定されておらず、保健所が感染症指定医療機関に感染者を搬送するという手順だけを確認するにとどまっていた。感染症指定医療機関の病床数は限られており、保健所の人員も限られており、実際のパンデミックが起こると上記のような対応はすぐに破綻することが明らかであった。実際に2009年のパンデミックでも、神戸・大阪の高校生で最初の国内感染が確認され、その数が100名を超えると感染症指定医療機関への収容はできなくなった。COVID-19でもダイヤモンド・プリンセス号の乗客の感染者が700名を超えただけで、首都圏の感染症指定医療機関だけでは感染者を収容できなくなり、愛知県などに広域搬送せざるを得なくなった。保健所が患者を特定し搬送をするというシステムも全国で1日の感染者数が数百人だった第1波でさえ維持が困難になっていた。保健所は他にも積極的疫学調査や検体採取の調整など多くの機能を担わされていたこともあり、保健所のひっ迫が大きな問題になる。つまり、政府や自治体はパンデミックに対して初期対応の体制しか考えてきておらず、感染が拡大した場合の制度設計がまったくできていなかったことが根本的な問題であったと考えられる。

しかし、日本では強制力をともなうロックダウンなどの措置が実施されなかったのにもかかわらず、ここまでは（2022年8月末時点）、欧米の先進国に比べても人口あたりの死亡者数は低く抑えられてきている[17]。これはロックダウンが実施されなかったのにもかかわらず、一般市民がリスクを回避する行動をとってきたこと、「三密」の回避などリスクを減らすために有効なメッセージが流行初期から政府・専門家から出されていたこと[18]などが関与していると考えられる。

5.3 COVID-19のパンデミックの被害が拡大した理由

SARSが8ヵ月足らずで封じ込められたのに対し、COVID-19のパンデミックは世界中に拡がり、甚大な被害を生じ続けている。SARSとCOVID-19はともにコロナウイルスが原因であるが、SARSとCOVID-19とはさまざまな点で異なる特徴を持っている。まずSARSはほとんどの感染者が重症化し重篤なウイルス性肺炎を起こしていた。このためWHOに報告された例の9.6%が死亡していた[19]。これに対してCOVID-19では、高齢者や基礎疾患のある人を除いては重症化率・致死率はSARSと比べて非常に低かった。しかし、これは流行を制御するという観点から見ると、COVID-19の方が流行の制御ははるかに難しいということになる。その理由としては、ほとんどの感染者が重症化したSARSでは感染者を網羅的に検知することはそれほど難しくなかったのに対し、軽症者や無症候感染者（感染してもまったく症状のない人）が多いCOVID-19では、網羅的に感染者を見つけ出していくことがほぼ不可能である。もう1つの大きな違いは、SARSでは重症化してからのみ感染性（他の人に感染させる可能性）が生じたのに対し、COVID-19では発症前の感染者あるいは無症候感染者からも感染が起こるということがある[20]。このCOVID-19の特徴も流行の制御を非常に難しいものにしている。SARSのような感染症であれば発症した人を徹底的に隔離していけば流行は制御できるが、COVID-19ではそのような戦略は成り立たないことになる。感染者を網羅的に見つけ出して発症者を徹底的に隔離するという戦略はエボラウイルス感染症に対しても有効であるが、これはエボラウイルス感染症も多くの感染者が重症化し、重症化してからのみ感染性があるという特徴を持っているためである。SARSやエボラウイルス感染症は致死率も高く、早期の封じ込めが必要であるが上記のような古典的な方法で封じ込めが可能であるのに対し、COVID-19ではそのようなアプローチでは封じ込めができない。このために、多くの国でロックダウンというような強制力をともなう対策を実施しないと流行の制御ができなかったと考えられる。

また、WHOおよび世界中のほとんどすべての国で、インフルエンザパンデミック対策は考えてきたものの、インフルエンザ以外のウイルスがパンデミックを起こす可能性をほとんど考えてこなかったという問題もある。世界はCOVID-19という「想定外」の事態に対応できなかったという側面もある。そのインフルエンザパンデミック対策も前述のように、2009年のパンデミック以降かならずしも厳しい状況を想定した対策が考えられてこなかったということもCOVID-19のパンデミックに対応できるような体制が整備されてこなかったことにつながり、被害の拡大を招いた原因であったと考えられる。

おわりに

COVID-19のパンデミックは世界を震撼させ非常に多くの人の命を奪ってきている。このパンデミックは偶然起きたものと考えるべきではない。これまで見てきたように、1980年代の末には21世紀にはこのような新興感染症のリスクが増大していくことが指摘されており、1990年代から繰り返し深刻な新興感染症の流行は起き続けており、21世紀に入ってその傾向は加速してきた。そのような自然からの警告ともとれる事態に対して、人類は真剣に向き合ってきたとは到底言えない。SARSや2009（H1N1）パンデミックを経験しても、IHRの改定や特別措置法の制定などをすることだけに満足して、実効性のある体制を整備することを怠ってきたというのが実態である。21世紀に入り、リスクを顧みず無秩序に進んできたグローバル化はパンデミックのリスクを確実に増大させてきた一方で、それに対する対策は不十分だったことは明らかである。

歴史を振り返ると歴史の転換期に大規模な新興感染症の流行が起きて、非常に大きな被害をもたらしてきているのがわかる。21世紀に入り世界は、感染症だけではなく経済危機や自然災害さらには戦争といった多くの危機に直面してきている。さらに世界の人口は77億人を超え、食糧危機や化石燃料の枯渇によるエネルギー危機も目前の問題として迫ってきている。20世紀の後半には国際協調の動きが加速すると期待されていたが、実際には英国がEUを離脱し、ウクライナ戦争によるロシアと国際社会の対立やアメリカと中国の対立も深刻さを増している。また、世界各国はトランプ政権に代表されるような自国第一主義ともいうべき考え方に傾いていき、グローバルな問題を各国が協力して解決しようとする方向には向かっていなかったことが、COVID-19のパンデミックの初期対応が不十分だったことにつながったと考えられる。感染症は地球温暖化などの問題に比べても、国際的な利害の対立を生みにくいものと考えられていたが[1)]、COVID-19のパンデミックではアメリカと中国さらにはアメリカとWHOとの対立などが深刻化し、国際的協調により、COVID-19に対応することができなかった。その背景には、WHOを含めた国際的な対応のメカニズムが不十分だったということもある。

21世紀はグローバル化が進み、企業は新たな市場と労働力を求めて低開発国に進出していき、日本では外国人旅行者によるいわゆる「インバウンド需要」を重視した経済政策が進められてきた。そこにはグローバル化にともなう新興感染症などのリスクをどう低減していくのかという視点が欠けていたと言わざるを得ない。COVID-19のパンデミックは決して偶然起きたものではなく、気候・社会・環境・生物・微生物・人間が形成する生態系が、21世紀に入り転換点を迎えそのバランスが大きく崩れつつあるなかで、必然的に起きたととらえるべきであると考える。21

世紀に入り、新興感染症のリスクは大きく増大しており、今後も深刻な新興感染症の流行が人類を襲うことが予想される。

国内でもCOVID-19の新たな波が起こるたびに死亡者は増え続けてきている。しかし、経済・社会活動を優先すべきという声に圧されて、感染拡大を抑えるための有効な対策は実施できない状況が続いている。COVID-19のパンデミックは、21世紀に入りより脆弱な社会に向かってきた世界の流れを見直すことができる最後のチャンスではないのだろうか。もう一度立ち止まって、感染症だけではなくその他のリスクに対してもレジリエント[2]な社会をどうつくっていくかを考えるべき時に来ている。

註・参考文献

はじめに

1）一般に「感染症の時代は終わった」と言ったのはアメリカの保健医療のトップ（Surgeon General）であったDr. William H. Stewart（在任期間1965-1969）の"It is time to close the book on infectious diseases, and declare the war against pestilence won."という言葉だったとされている。しかし、実際にDr. Stewartのそのような言葉は確認されていないという以下のような論文が発表されている。
Spellberg B, Taylor-Blake B. On the exoneration of Dr. William H. Stewart: debunking an urban legend. Infect Dis Poverty. 2013 Feb 18;2（1）:3.
この論文の中ではこのDr. Stewartの言葉はUrban Legend（都市伝説）だったとしている。しかし、実際に1970年代から1980年代にかけて感染症に対し楽観的見方がされていたのは事実で、国内でも感染症の研究者が減少していくというような傾向は見られていた。

2）狂牛病は細菌感染症でもウイルス感染症でもなく遺伝子も持っておらず、正常なタンパクを異常タンパク（プリオンタンパク）に置き換えていくことで伝播していくプリオン病である。このようなものを感染症とよぶべきかという議論はあるが一般にプリオン病も感染症として扱う場合が多い。

3）国内では新型コロナウイルスという用語が使われているが、21世紀に入ってからこれ以外にも2002年に出現したSARS（重症急性呼吸器症候群）、2012年以降中東を中心に流行が起きているMERS（中東呼吸器症候群）という2つの新たなコロナウイルス感染症が人の間に出現しており、今後も新たなコロナウイルス感染症が出現するリスクは存在している。また新型コロナウイルスは原因ウイルスを指すが、そのウイルスが引き起こす感染症は新型コロナウイルス感染症である。本来はウイルス名とそれによる疾患名は分けて考えるべきである。このため

WHOは2019年に出現したコロナウイルスによる感染症の名称（疾患名）をCoronavirus Disease 2019（略称はCOVID-19）とし、その原因ウイルスはSARSの原因ウイルスと近縁のウイルスであるためSARS-Coronavirus-2（略称はSARS-CoV-2）としている。本稿では基本的にCOVID-19（疾患名）とSARS-CoV-2（ウイルス名）を使うものとする。

第一節　新興感染症のリスク

1）Petersen LR, Jamieson DJ, Honein MA. Zika Virus. N Engl J Med. 2016 Jul 21;375(3):294-5
2）Yu XJ et al. Fever with thrombocytopenia associated with a novel bunyavirus in China. N Engl J Med. 2011 Apr 21;364(16):1523-32.
3）Takahashi T et al. The first identification and retrospective study of Severe Fever with Thrombocytopenia Syndrome in Japan. J Infect Dis. 2014 Mar;209(6):816-27.
4）Jones KE, et al. Global trends in emerging infectious diseases. Nature. 2008 Feb 21;451(7181):990-3.
5）日本ではエボラ出血熱とよばれることが多く、かつては国際的にもエボラ出血熱（Ebola Hemorrhagic Fever）とよばれていた。しかし、実際には出血症状のない患者も多く、エボラ出血熱という呼称を用いることで誤った診断がなされる可能性もあるということで、現在では国際的にはEbola Virus Disease（エボラウイルス病）とよばれている。
6）Bermejo M et al. Ebola outbreak killed 5000 gorillas. Science. 2006 Dec 8;314(5805):1564.
7）Furuse Y, Oshitani H. Viruses That Can and Cannot Coexist With Humans and the Future of SARS-CoV-2. Front Microbiol. 2020 Sep 18;11:583252.
8）Centers for Disease Control and Prevention. 2014-2016 Ebola Outbreak in West Africa. https://www.cdc.gov/vhf/ebola/history/2014-2016-outbreak/index.html
9）Wenster RG et al. Evolution and ecology of influenza A viruses. Microbiol Rev. 1992 Mar;56(1):152-79.
10）これ以前のパンデミックはその名称に地名が使われていたが、現在は病名に地名や人名を使わない方針となっている。このため2009年のパンデミックはその亜型であるA（H1N1）と2009年に出現したことを示す2009を組み合わせて2009（H1N1）パンデミックとよばれている。
11）Taubenberger JK, Morens DM. 1918 Influenza: the mother of all pandemics. Emerg Infect Dis. 2006 Jan;12(1):15-22.

第二節　文明の発展と新興感染症

1）Centers for Disease Control and Prevention. History of Smallpox. https://www.cdc.gov/smallpox/history/history.html
2）Düx A, et al. Measles virus and rinderpest virus divergence dated to the sixth century BCE. Science. 2020 Jun 19;368(6497):1367-1370.
3）American Veterinary Medical Association. Disease precautions for hunters

https://www.avma.org/resources/public-health/disease-precautions-hunters

4）アメリカに家畜化された動物が少なかったことやインカ帝国滅亡に感染症が関与していたことはジャレド・ダイアモンドの『鉄・病原体・銃』（草思社）に詳しく記述されている。

5）Harris JB et al. Cholera. Lancet. 2012 Jun 30;379（9835）:2466-2476.

6) Patterson KD. Yellow fever epidemics and mortality in the United States, 1693–1905. Soc Sci Med 1992 Apr;34(8):855-65
上記の論文によると1693年から1905年までの間に黄熱病の流行は繰り返しアメリカで起きており、10万人から15万人が死亡したとされている。

7）Webster RG. The importance of animal influenza for human disease. Vaccine. 2002 May 15;20 Suppl 2:S16-20.

第三節　転換期の新興感染症

1）志賀潔（1871-1957）: 日本人の細菌学者で赤痢菌の発見で知られる。赤痢菌属の正式名称はShigellaであるが、これは志賀潔の名前に由来する。1901年から2度にわたりドイツに留学している。

2）北里柴三郎（1853-1931）: 日本人の細菌学者で1886年から6年間ドイツに留学しロベルト・コッホのもとで研究を行う。留学中に破傷風の純粋培養に成功する。帰国後ペスト菌を発見するが、ほぼ同時期にフランス人の細菌学者によってもペスト菌は発見されていた。

3）Centers for Disease Control and Prevention. Transmission of Yellow Fever Virus.
https://www.cdc.gov/yellowfever/transmission/index.html

4）Public Broadcasting Service. American Experience. Major American Epidemics of Yellow Fever（1793-1905）
https://www.pbs.org/wgbh/americanexperience/features/fever-major-american-epidemics-of-yellow-fever/

5）Public Broadcasting Service. American Experience. Scourge of the Spanish American War.
https://www.pbs.org/wgbh/americanexperience/features/fever-scourge-spanish-american-war/

6）Clements AN, Harbach RE. History of the discovery of the mode of transmission of yellow fever virus. J Vector Ecol. 2017 Dec;42(2):208-222.

7）Stern AM. The Public Health Service in the Panama Canal: a forgotten chapter of U.S. public health. Public Health Rep. 2005 Nov-Dec;120(6):675-9.

8）Centers for Disease Control and Prevention. History of 1918 Flu Pandemic
https://www.cdc.gov/flu/pandemic-resources/1918-commemoration/1918-pandemic-history.htm

9）逢見憲一. 公衆衛生からみたインフルエンザ対策と社会防衛－19世紀末から21世紀初頭にかけてのわが国の経験より－　J. Natl. Inst. Public Health。2009. 58(3): 236-247

10）横浜検疫所．　横浜検疫所の変遷
https://www.forth.go.jp/keneki/yokohama/museum/page2-1.html

11）渡辺浩一． 安政コレラの感染経路を探る。REKIHAKU「特集：歴史の中の疫病」2022年2月
12）神戸検疫所． 神戸検疫所の歩み等
https://www.forth.go.jp/keneki/kobe/information/rekishinenpyou_kobe.pdf

第四節 21世紀の新興感染症

1）Sencer DJ. Emerging diseases of man and animals. Annu Rev Microbiol. 1971;25:465-86.
2）Morse SS, Schluederberg A. From the National Institute of Allergy and Infectious Diseases, the Fogarty International Center of the National Institutes of Health, and the Rockefeller University. Emerging viruses: the evolution of viruses and viral diseases. J Infect Dis. 1990 Jul;162(1):1-7.
3）この当時結核やマラリアなど一度はコントールされていた感染症が再度大きな問題になるということが相次いで起きており、新興感染症とともに再興感染症（Reemerging diseases）も大きな問題であると認識されていた。このため新興・再興感染症（Emerging and Reemerging Diseases）と合わせて表現されることが多かった。
4）Centers for Disease Control (CDC). Ebola virus infection in imported primates--Virginia, 1989. MMWR Morb Mortal Wkly Rep. 1989 Dec 8;38(48):831-2,
5）Nichol ST, et al. Genetic identification of a hantavirus associated with an outbreak of acute respiratory illness. Science. 1993 Nov 5;262(5135):914-7.
6）Mir MA. Hantaviruses. Clin Lab Med. 2010 Mar;30(1):67-91.
7）Khan As et al. The reemergence of Ebola hemorrhagic fever, Democratic Republic of the Congo, 1995. Commission de Lutte contre les Epidémies à Kikwit. J Infect Dis. 1999 Feb;179 Suppl 1:S76-86.
8）Claas EC et al. Human influenza A H5N1 virus related to a highly pathogenic avian influenza virus. Lancet. 1998 Feb 14;351(9101):472-7.
9）Lam SK, Chua KB. Nipah virus encephalitis outbreak in Malaysia. Clin Infect Dis. 2002 May 1;34 Suppl 2:S48-51.
10）Lau SK, Woo PC, Li KS, Huang Y, Tsoi HW, Wong BH, Wong SS, Leung SY, Chan KH, Yuen KY. Severe acute respiratory syndrome coronavirus-like virus in Chinese horseshoe bats. Proc Natl Acad Sci U S A. 2005 Sep 27;102(39):14040-5.
11）Zhong NS, et al. Epidemiology and cause of severe acute respiratory syndrome (SARS) in Guangdong, People's Republic of China, in February, 2003. Lancet. 2003 Oct 25;362(9393):1353-8.
12）Centers for Disease Control and Prevention (CDC). Update: Outbreak of severe acute respiratory syndrome--worldwide, 2003. MMWR Morb Mortal Wkly Rep. 2003 Mar 28;52(12):241-6, 248.
13）Heymann DL. The international response to the outbreak of SARS in 2003. Philos Trans R Soc Lond B Biol Sci. 2004 Jul 29;359(1447):1127-9.
14）Webster RG. Wet markets--a continuing source of severe acute respiratory syndrome and influenza? Lancet. 2004 Jan 17;363(9404):234-6.
15）Tran TH, et al. Avian influenza A (H5N1) in 10 patients in Vietnam. N Engl J Med. 2004

Mar 18;350(12):1179-88.
16) Dawood FS, et al. Estimated global mortality associated with the first 12 months of 2009 pandemic influenza A H1N1 virus circulation: a modelling study. Lancet Infect Dis. 2012 Sep;12(9):687-95.

第五節　COVID-19パンデミック

1) Holmes EC et al. A. The origins of SARS-CoV-2: A critical review. Cell. 2021 Sep 16;184(19):4848-4856.
2) Aguirre AA, Catherina R, Frye H, Shelley L. Illicit Wildlife Trade, Wet Markets, and COVID-19: Preventing Future Pandemics. World Med Health Policy. 2020 Sep;12(3):256-265.
3) WHO Outbreak News. COVID-19-China, 5 January 2020
https://www.who.int/emergencies/disease-outbreak-news/item/2020-DON229
4) The Independent Panel for Pandemic Preparedness. COVID-19: Make it the Last Pandemic. 2021
https://theindependentpanel.org/wp-content/uploads/2021/05/COVID-19-Make-it-the-Last-Pandemic_final.pdf
5) World Health Organization. International Health Regulations (2005) Third Edition.
https://www.who.int/publications/i/item/9789241580496
6) World Health Organization. Statement on the first meeting of the International Health Regulations (2005) Emergency Committee regarding the outbreak of novel coronavirus (2019-nCoV). 23 January 2020
https://www.who.int/news/item/23-01-2020-statement-on-the-meeting-of-the-international-health-regulations-(2005)-emergency-committee-regarding-the-outbreak-of-novel-coronavirus-(2019-ncov)
7) World Health Organization. Statement on the second meeting of the International Health Regulations (2005) Emergency Committee regarding the outbreak of novel coronavirus (2019-nCoV)
https://www.who.int/news/item/30-01-2020-statement-on-the-second-meeting-of-the-international-health-regulations-(2005)-emergency-committee-regarding-the-outbreak-of-novel-coronavirus-(2019-ncov)
8) World Health Organization. Novel Coronavirus (2019-nCoV) SITUATION REPORT–1 21 JANUARY 2020
https://www.who.int/docs/default-source/coronaviruse/situation-reports/20200121-sitrep-1-2019-ncov.pdf?sfvrsn=20a99c10_4
9) Wu JT, Leung K, Leung GM. Nowcasting and forecasting the potential domestic and international spread of the 2019-nCoV outbreak originating in Wuhan, China: a modelling study. Lancet. 2020 Feb 29;395(10225):689-697.
10) Nadeau SA, et al. The origin and early spread of SARS-CoV-2 in Europe. Proc Natl Acad Sci U S A. 2021 Mar 2;118(9):e2012008118.
11) Davis JT, et al. Cryptic transmission of SARS-CoV-2 and the first COVID-19 wave.

Nature. 2021 Dec ; 600 (7887) :127 -132.

12) World Health Organization. Global excess deaths associated with COVID-19, January 2020 - December 2021. May 2022
https://www.who.int/data/stories/global-excess-deaths-associated-with-covid-19-january-2020-december-2021

13) Centers for Disease Control and Prevention. History of 1918 Flu Pandemic
https://www.cdc.gov/flu/pandemic-resources/1918-commemoration/1918-pandemic-history.htm

14) Furuse Y, Oshitani H. Association between Numbers of “Imported Cases” and “Reported Cases in a Source Country” of COVID-19 : January to April 2020 in Japan. J Infect. 2020 Aug ; 81 (2) : e153 -e154.

15) 国立感染症研究所感染症情報センター．パンデミック（H1N1）2009 発生から 1 年を経て．IASR2020 Sep ; 31 : 250 -251.

16) 内閣官房 . 新型インフルエンザ等対策訓練.
https://www.cas.go.jp/jp/seisaku/ful/kunren.html

17) Our World in Data. Coronavirus Pandemic（COVID-19）
https://ourworldindata.org/coronavirus

18) Oshitani H. COVID lessons from Japan: the right messaging empowers citizens. Nature. 2022 May ; 605 (7911) : 589.

19) World Health Organization. Summary of probable SARS cases with onset of illness from 1 November 2002 to 31 July 2003
https://www.who.int/publications/m/item/summary-of-probable-sars-cases-with-onset-of-illness-from-1-november-2002-to-31-july-2003

20) Ferretti L, et al. Quantifying SARS-CoV-2 transmission suggests epidemic control with digital contact tracing. Science. 2020 May 8 ; 368 (6491) : eabb6936.

おわりに

1）押谷仁． 感染症のグローバルリスク．シリーズ日本の安全保障 8（岩波書店）2015. 155 -18617).

2）レジリエント : 英語では Resilient だが、日本語に訳すことの難しい用語である。単に「強い」ということではなく、柔軟で竹のようなしなやかさを持ち脆弱ではないものというような語感がある。

第七章　女性の高等教育と無意識のバイアス払拭が次世代の幸福の鍵になる

大隅　典子

はじめに

人口の約半分は女性であるにもかかわらず、日本ではその能力が活用されていない。女性の参画が遅れているのは特に政治や経済の分野であるが、高等教育の分野においても、諸外国と比してギャップがある。東北大学は1913年（大正2年）に3名の女子学生の入学を許可した。本章では、ちょうど110年前の日露戦争後の当時、最上位の高等教育機関である「帝国大学」に女性が学ぶことがどのようにして可能となったのかを振り返り、日本の置かれた現状を踏まえ、コロナ禍によって浮き彫りとなった社会の転換点において、人々が心豊かに暮らしていく上で、アカデミアにおける女性の参画が鍵となることについて考察したい。

第一節　日本初の女子大生の誕生

1.1　東北大学開学の理念としての「門戸開放」

東北大学初代総長の澤柳政太郎は、1890年に文部省（当時）に入省した官僚であった。第二高等学校、第一高等学校の校長を歴任した後、文部省に戻り、初等中等教育の整備や小学校の修学年限延長にも尽力した。さらに、1877年創立の東京帝国大学（帝国大学と規定されたのは1886年)、1897年創立の京都帝国大学に続く帝国大学として1907年に東北帝国大学や九州帝国大学の開設、また奈良女子高等師範学校の開設も決定した。近代日本の国としての成り立ちを整えるこの時期に、澤柳は教育の重要性を訴え、次々と具現化していった。

創設開学に当たって澤柳は3つの理念、「研究第一」「門戸開放」「実学尊重」に相当する考えを打ち出した。当初より「研究大学」であることを標榜したのは、我が国では東北大学が最初である。「実学」は「虚学」に対応する言葉とされるが、現代的な意味としての「役に立つ学問」というよりは、当時は「形式化した人文主義の文献本位の学問に対して、自然科学の発達や哲学の経験論に影響された実用的・実践的な研究方法」(国民百科新語辞典（1934)「実学主義」より）としての意味合いだったと考えられる（そうでないと、東北大学がまず「理学校」として始まったこととの間に齟齬が生じる)。では、「門戸開放」とは、どういう背景があったのか。

当時、東京帝国大学と京都帝国大学に入学するには、大学進学の「予科」としての「旧制高等学校」を卒業する必要があった。当時の旧制高等学校は男子のみに開かれたエリート教育機関であったが、澤柳らは「国内外から多くの優秀な学生を集めるためには、“傍系入学”を認めるべき」という画期的なポリシーを打ち出す。すなわち、旧制高等学校卒業生以外に、高等師範学校や専門学校、また師範免許取得者にも受験資格を与えたのだ。澤柳は高等教育を享受できる人材の多様性を重視した。まさにダイバーシティの先駆けである。

1.2　メンターとキャリアパス指導

この東北帝大の画期的な受験資格に、東京女子高等師範学校（女高師、現お茶の水女子大学）の校長であった中川謙二郎が目をつけた。当時、東北帝大教授の林鶴一が女高師でも講義を行っており、その指導を受けていた牧田らくに東北帝国大学の受験を勧めたのだ。また、東京帝国大学の長井長義は女高師や日本女子大学校（現日本女子大学）で化学を教えていたが、牧田らく受験の話を耳ざとく聞きつけたと思われる。長井は教え子である女高師の黒田チカと日本女子大学校の丹下ウメ（長井の指導により、女性で初めて中等化学教員検定試験に合格していた）にも熱心に受験を勧め、中川には「黒田チカも受験させるべし」と進言した。

これを受けて、1913 年 5 月 6 日に中川は澤柳政太郎総長宛に、自校卒業生の２名が東北帝国大学の受験を希望している旨を伝える手紙を送っている。その中には、「もし入学が許可された場合、卒業後は再び東京女子高等師範学校で採用したい」（東北大学史料館資料『教務書類（甲）』大正二年度をもとに加藤諭意訳、東北大学「女子大生誕生の地：特設サイト」より）ということまで書かれていた。つまり、中川や長井は素晴らしいメンターであり、教え子のキャリアパスまで考えた親身の指導を行ったのだ。

これに対し、東北帝国大学は「入学試験を実施すること、志望者が定員より多い場合には選抜となる」旨、同年５月13日に返答した。このため、最終的には女高師出身の黒田チカ、江澤駒路、牧田らく、そして日本女子大学校出身の丹下ウメの４名が東北帝国大学を受験することになった。

1.3　日本初の女子大生誕生

当時の帝国大学は９月からの秋入学であった。４名は８月８日から１２日の間に体格検査と入学選抜試験を受けた。本当に女子に入学試験を受験させたことを聞きつけた文部省からは、澤柳政太郎に代わり第二代総長となっていた北條時敬へ「元来女子ヲ帝国大学ニ入学セシムルコトハ前例無之事ニテ、頗ル重大ナル事件ニ有之、大ニ講究ヲ要シ候」という問合せが８月９日付で送られている。

北條はこちらにすぐに返答はせず、４名の入試は続行。８月13日に合否判定が為され、黒田チカ、牧田らく、丹下ウメの3名の合格が決まる。理科大学学長（現在の理学部長）の小川正孝と北條が決裁し、３名の女性の名前を含む合格者名簿が翌14日に文部省に宛て発送されることとなった。

実は、この件は世間の注目を集めており、16日にリーク報道が東京朝日新聞、読売新聞、東京日日新聞に掲載された。このため「女子大生の日」は８月16日とされたこともあったのだが、コロナ禍の2020年に東北大学は、正式に入学許可が官報に掲載された21日をもって「女子大生の日」として正式に記念日登録した。ちなみに、北條はその後、8月25日にしれっと事後報告に文部省に出向いている。電話やメール等の通信手段が一般的ではなかったからこそ、3名の女子大生誕生がこの時期に可能となったのかもしれない。

1.4　3人の女子大生のその後

29歳で東北帝大の化学科に入学した黒田チカは、真島利行の指導を受け、有機化学の研究に没頭した。1916年5月に無事卒業し（当時32歳）、日本初の女性理学士となった。その後、1921年から1923年（37歳から39歳）まで文部省留学生として渡英し、オックスフォード大学で有機化学の研究を続けた。帰国後も紫根や紅花などの日本産植物の色素を抽出してその構造を決定した。1929年（45歳）に「紅花の色素カーサミンの研究」により博士号を取得し、保井コノに続き日本で2人目の女性理学博士となった。その後も理化学研究所員として青花、黒豆、茄子、シソなどの色素分析の研究を行い、また玉葱からはケルセチンという血圧降下作用のある物質を同定して、「たまねぎおばさん」というNHKの子供向けドラマのモデルとなった。

4つ年下の牧田らくは、黒田とともに1916年に（28歳で）東北帝大を理学士として卒業し、大学院に在籍しつつ、母校である女高師に数学講師として復帰した。その後、洋画家の金山平三と知り合い、1919年に結婚する。だが、数学科の教授と家庭の両立が難しく、すぐに退職することとなり、アカデミアからは退いた。

丹下ウメは、先の2人よりも若干年上で、入学時点で40歳であった。澤柳の理念「門戸開放」は、年齢のダイバーシティも生じさせていたことになる。黒田と同じく、化学専攻で真島利行の指導を仰いだが、休学のため2年遅れて1918年に（45歳で）卒業して理学士となった。その後、東北帝大の大学院に進学し、応用化学教室助手を経て、米国のスタンフォード大学に留学したのは48歳。コロンビア大学でも栄養化学を学び、54歳のときにジョンズ・ホプキンス大学にて博士号を取得した。帰国後は、母校である日本女子大学校の教授に迎えられ、教鞭を執る傍ら、理化学研究所の鈴木梅太郎の下でビタミンB2複合体の研究に励んだ。その成果をもとに東京帝国大学より農学博士の学位を授与されたのは1940年、なんと67歳のときである。人はいくつになっても学ぶことができる。まさに、リカレント教育のパイオニアだ。丹下はまた、日本婦人科学者の会を立ち上げるなど、女性研究者の地位向上にも尽力した。

1.5　文系初の女子大生

2023年は東北大学において理系初の女子大生入学から110周年の節目であったが、黒田らの後、コンスタントに女子学生の進学が続いた訳ではない。次の女子学生入学までは10年余もの歳月が必要であった。その契機となったのは「総合大学化」である。

1922年に東北大学に理学部、医学部、工学部に加えて「法文学部」が設置されることになった。これはもともと、初代総長の澤柳が目論んでいたことだ。なぜなら、澤柳は、第一高等学校校長や京都帝国大学文科大学初代学長を務め、江戸文学者であった狩野亨吉の蔵書等を開学当初より収集し、東北大学にリベラルアーツの流れを拓くことを想定していたのだ。現在、国宝2点を含む狩野のコレクションは、「狩野文庫」として附属図書館に収蔵され、デジタルアーカイブとして公開されている。

東北大学の法文学部設置を受けて、1923年、関東大震災の年に帝国大学初の文系女子学生が誕生する。法文学部第一期生となったのは、久保ツヤ（旧姓黒瀬)、櫻田フサ（旧姓磯貝）の2名。両名ともに女高師の卒業生として受験資格があった。久保は、心理学を学ぶ傍ら、宮城女学校で教鞭を取っていた「社会人学生」の草分けでもある。櫻田の専攻は哲学であった。

その後、第二次世界大戦が終結する1945年までの間に、東北帝国大学の法文学部には104名の女子学生が入学した。これは、理系の女子学生がすべての学部を合わせて25名であったのに対して4倍の数であり、日本の女子高等教育に関して大きな貢献があったと言える。実際、久保は後に東京家政学院短期大学の教授となり、櫻田は実践女子専門学校教授となった。この他、日本女子大学校を卒業した後に東北帝国大学の法文学部国文科に学んだ青木生子は、1981年に母校の学長となり、12年間にわたり女子高等教育に尽力した。

第二節　理系分野への女性の参画を阻むもの

2.1　東北大学の現状は日本の縮図である

さて、日本初の女子学生は理系（化学と数学専攻）だったのだが、その後の歴史的な経緯により、日本では「女子＝文系」という「無意識のバイアス」が他の国々よりも甚だしく、STEM（科学、技術、工学、数学）分野への女性参画は現時点でも著しく少ない。2021年にOECDが公開したデータでは、自然科学分野に進学する女性は、36カ国の平均値がすでに半数を超えて52%、工学でも26%であるのに対し、日本での比率はそれぞれ27%と16%と、約半分となっている。

東北大学は歴史の長い総合大学の中でも構成員が理系に偏った大学であり、国立大学法人化および運営費交付金削減の煽りを受けて、この傾向は強まった。運営費交付金削減は結果として人件費削減となり、教員退職後の新規採用を見送るなどの必要に迫られた。このときに、理系はなんとか競争的資金を獲得することにより、博士研究員や特任助教等のポストを確保したのに対し、そのような高額の研究費を獲得しにくい文系ではポストを補充することができなかったことが、東北大学の人的構成がさらに理系に偏るきっかけとなった。令和4年5月1日付けの統計では、東北大学の入学者の女性比率は、学士26.4%、修士25.0%、博士30.9%、助教・助手を含む教員の女性比率は19.7%（クロスアポイントメント教員等含む）、助教・助手を除く女性上位職教員では13.9%（同上）となっている（東北大学男女共同参画推進センターHP参照）。すなわち、東北大学における女性参画は、いわば日本の理系におけるジェンダーギャップの縮図といえる。

2.2　女性は理系に向いていないのか？

日本初の理系女性は例外で、女性は理系に向いていないのだろうか？

そんなことはない。エビデンスは種々、報告されている。たとえば、OECDが3年おきに行っている国際的な学習到達度テスト（PISA）の2018年のデータでは、高校1年時点で、女子の数学リテラシーの平均点は522点で、男子の平均点532よりも若干低い。だが、OECD平均を見てみると、女子487点、男子492点なので、日本の女子の数学リテラシーの平均点の方がOECD平均の男子の平均点より30点も高いのだ。

このような女性の理数系のリテラシーが日本では活かされていない。数学的リテラシーや科学的リテラシーにおいて習熟度のレベルの上位層の生徒のうち、30歳で技術者や科学者として働いていることを期待しているのは、日本の女子では約30人に1人だけである（男子でも10人に1人しかいないという点も問題ではある）。理数系の習熟度レベルにおいて上位層の女子の4分の1は、免許によって安定的に守られる医療関係の職業に就くことを期待している。これに対し、習熟度のレベルの上位層の男子で医療系の就職を期待するのは8分の1である。さらに日本では、ICT関係の職業に就くことを期待しているのは、男子でも6％、女子ではたった1％のみである。

ではなぜ、高い理数系リテラシーを持つ日本の女子生徒たちが、大学進学時点になると理系に進学しないのだろうか？

2.3　セルフコンフィデンスの低い女子たち

2015年のPISAの分析によれば、数学や科学の問題を解く能力に対する自信は男子より女子の方が低い。数学に対する不安が強い生徒の比率も、女子の方が高い。数学に対する自信と数学に対する不安が同じレベルの男子と女子を比較すると、成績の男女差は無くなる。2018年の調査では、日本を含むほぼすべての国・地域で、女子は男子よりも失敗に対する恐れをより強く表明しており、この男女差は習熟度のレベルの上位層の生徒においてより大きかった。国を越えて同様の傾向が見られるということは、生物学的な差異を反映している可能性がある。

こういう心理学のテストがある。数学の試験を行う際、「学籍番号のみ」「学籍番号と名前」「学籍番号・名前・性別」を書かせると、その順に女子生徒の平均点が悪くなる（拙翻訳書『なぜ理系に進む女性は少ないのか』（西村書店）参照）。あるいは、教師が問題用紙を配りながら「昨年、このテストは男子の方が平均点が高かったんだよ」と伝えるだけでも、同様のことが生じる。あとひと頑張り考え抜くかどうか、というところで、「どうせ私は女子だから……」と諦めてしまうのだろう。「数学は天賦の才」と伝えられるか、「天才数学者でも努力を続けた」と教わるかによっても、ステレオタイプ脅威が生じてしまう。

おそらく中学生になるまでの間、教育としてはきわめて男女平等に為されているのだろうが、子どもたちは様々なかたちで周囲からのメッセージを受け止める。そのような中には、「女子は可愛くあれ」「女子は責任を取らなくてよい」というようなものもあり（後述）、結果として、女子生徒たちは、少しの挫折で例えば「自分は数学の才能が無い」と思い込むようになる。

一見、この違いは小さなことのように見えるが、何かの意思決定をするたびごとに複利的に効果が表れてくるのだろう。結果として、女子生徒は大学受験において理系を選択しない割合が多くなってしまう。

2.4 理系と文系というレッテル

海外でもSTEM分野とヒューマニティーズ（人文社会系）のような分け方はあるが、大学受験の時点で日本ほど明確に理系・文系を区別はしていない。たとえば米国では、大学入試は学部ごとではなく、基本的にアドミッションオフィスが行う。大学は一括して入学者を選抜し、最初の２年はとくにリベラルアーツ教育が重要視され、後半２年では、例えば「歴史学と生物学」のような、文理をまたいだダブルメジャーも可能である。

日本では、伝統的に大学入試は学部ごとで行われ、専門教育が前倒しに開始されることもあり、学生が学ぶリベラルアーツのバリエーションは狭い。また、大学進学に際して“効率よく”勉強することを目的として、高等学校の間に「理系・文系」の振り分けが行われる。あるいは、理数系のコースのある高校に進学するかどうかの意思決定を、中学２年頃に行う生徒もいるだろう。社会の変化のスピードが早くなった現代において、広い選択肢があるべき10代の若者が、あまりに早く進路決定をしなければならない現状は、男女にかかわらず大きな問題であると筆者は考えるが、とりわけ女性の理系選択という点において重要な課題を抱えている。

第三節　女性が高等教育を受けるのを妨げるもの

ここまで日本社会の中でも超マイノリティである「理系女性」を中心に述べてきたが、もう少し広げて日本の女性全体を取り巻く状況について考察しよう。世界経済フォーラムより毎年発表される「ジェンダーギャップ指数」2022年版において、日本は調査対象146カ国の中で相変わらずG7で最低の116位という悲しい状況である。主要な理由は、政治と経済の分野における女性の参画が著しく低いからである。これは、理系女性が少ないということと“根っこ”が共通した問題であると思う。すなわち、女性が主体性を持たなくても良い、女性がリーダーになるべきではない、というような社会の圧力がいまだに存在することが根本に存在する。

3.1　女性の大学進学の地域格差と人口流出

2022年版の「ジェンダーギャップ指数」に関して、「教育」は今回、21カ国同率１位というスコアになった。これは、指数の根拠となっている識字率や初等・中等教育の就学率において男女差が無いためだが、日本の高等教育においてはジェンダーギャップが存在する。現在、大学進学者の女性比率は全国平均で54.4%だが、短大を含めると64.1%であり、女性の一定数が、２年間の就学で済み、より専門性の低い「短大」に進学していることがわかる。

さらに問題な点として、大学進学率には大きな地域格差が存在する。国立社会保障・人口問題研究所の人口統計資料（2022）によれば、東京都や京都府では70%を超える高校卒業生が大学に進学するが、これらの地域から離れた東北・九州地方は進学率が低い。女子のみで統計を取ると、その傾向はさらに強まり、東京が74.1%、京都が66.8%、兵庫が56.1%なのに対し、もっとも低い鹿児島では34.6%、次いで大分が35.8%、佐賀が36.6%である。丹下ウメは鹿児島の出身、黒田チカは佐賀の出身なので、この状況を知ったら、さぞかし嘆くことだろう。

進学率の格差は経済格差と相関しているが、さらに女性の問題は、地方の文化的な背景がある。「女に学問はいらない」というマインドは、女性の地位が高くなってはいけない、女性はリーダーではなく、サポーターに回るべき、という無意識のバイアスと繋がっている。

このような背景から、地方の女性が都会に転出していく傾向がある。就職先の少ない地方から大都市圏に人口流入するのは一般的な傾向であるが、総務省の調査によれば、東京、千葉、大阪、福岡では、女性の流入の方が男性を大きく上回っている。また、コロナ禍により東京では男性は転出傾向が見られたのに対して、女性はそうではない。地方では自分の活路を見いだせないと考える女性が、多様な仕事があり男女格差が少ないと考えられる都会を目指す傾向は変わらない。

3.2　少子化と女性の社会参画

2022年6月、厚生労働省より2021年の出生数は81万1604人で、合計特殊出生率は1.30と発表された。2022年の予測値は77万人前後となっている。戦後の第二次ベビーブームの1973年には出生数は209万1983人であったので、実に半世紀で3分の1近くに減ったことになる。少子化が止まらない。

少子化の原因は明白だ。結婚年齢が上昇し、第一子を持つ年齢が上昇しているからである。2017年の少子化対策白書によれば、1947年の初婚の平均年齢は、男性が26歳、女性が23歳だったが、2020年の時点で男性が31.0歳、女性が29.4歳に上昇した。第一子が生まれる時点での母の平均年齢は、30.7歳となっている。女性が妊娠可能な年齢には生物学的な上限があるので、結婚年齢が上がれば、当然ながら持てる子どもの数は減少する。

ではなぜ結婚しないかというと、経済停滞や経済格差もあるが、何より「国が若い世代が子どもを持つことに優しくない」という一言に尽きると筆者は考える。日本では自然分娩は“病気”ではないと見なされるので、保険適用ではなく、平均的には40～50万円かかる。さらに、ベビーウェアやオムツ、哺乳瓶、赤ちゃん用の寝具、ベビーバス、抱っこ紐、授乳服などの、様々なベビー用品やマタニティ用品も買わなければならない。国民健康保険等に加入していれば、出産育児一時金として42万円が後から申請により給付されるが、適用外のケースもあるだろう。自民党の議員連盟の要求を受け、この額が47万円に引き上げられることが2022年10月に発表されたが、たとえばカナダでは、出産費用は公的医療保険の対象となり無料である。妊娠期から安心して子どもを持つことができると知っていれば、妊婦や家族のストレスも減るだろうし、子どもを持つことへの不安が減り、それが大きな少子化対策になるだろう。

保育園の待機児童の問題なども同様である。母親がフルタイムの仕事に就けないと保育園に預けられない、保育園が見つからないとフルタイムで働けない、という堂々巡り（負のスパイラル）があるようでは、子どもを持つことを躊躇するだろう。出生数が減少したから、保育園の定員を減らすということはすべきではない。子どもがいつ生まれるかは人間がすべてコントロールできる問題ではないことを踏まえれば、厳格な定員管理は保育園には相応しくない。

なお、声を大にして言いたいが、「女性が働くと少子化になる」というのは、まったくの誤解である。女性は「働きたいから子どもを産みたくない」のではない。世界を見渡すと、女性の就業率の高い国ほど、合計特殊出生率も高いという正の相関性がある。このことは、出産や子育てのためのインフラがどのように整っているかという社会制度の問題であることを意味する。ちなみにフィンランドでは、子どもが生まれた両親に「出産祝い」が届けられるという。15着もの衣類（防寒用のオーバーオールなども含む）からオムツ、布団セットそして、櫛や歯ブラシ、水温計や爪切り鋏まで、約50点が入った「育児パッケージ」は、「産んでくれてありがとう」という国からのメッセージだ。

「今後の少子化対策は、収入が不安定な男性をどのように結婚までもっていくか、そのような男性と結婚しても大丈夫という女性をどう増やすかにかかっている」というような認識は、大きくズレている。むしろ「一人で子育てしても困らない」社会インフラの整備が必要なのだ。

子どもの数は、家庭における男性の家事育児参画の度合いと明確に「正の相関性」を示す。世界的にも、女性の家事負担が重いほど出生率は低い。2015年に厚生労働省が子どもを持つ夫婦に対して行った調査では、夫の「休日の」家事育児時間が6時間以上であった家庭では87.1%が第二子に恵まれたのに対し、夫が休日でも家事育児に参画していない家庭では、90%が第二子を得ていない（平成30年内閣府少子化白書参照）。「男性が主たる稼ぎ頭で、家庭は女性が守る」という昭和の家庭像のままでは、少子化は止まらない。社会全体の意識改革と現状に合わせた制度改革が必須である。

第四節　女性が高等教育を受け社会で活躍するためには

日本の女性は優秀なのに、その力が活かされていない。これは社会が大きく変革しようとしている転換期において、大きな損失である。では、どうすればよいか？　何より「無意識のバイアスの払拭」が重要である。

4.1　無意識のバイアスの払拭

無意識のバイアスは、色々なところに潜んでいる。英国BBC制作の動画で、子どもに接する際の無意識のバイアスについての啓発が為されている（https://www.youtube.com/watch?v=nWu44AqF0iI）。これは、１～２歳の男女の赤ちゃんの名前を入れ替え、着るものも替えると、周囲の大人がどのように振る舞うのかを調べる心理学実験である。Marnieちゃんは男の子っぽい青系のシャツを着せられOliver君となり、Edward君はフリフリのピンクのドレスを着て、Sophieちゃんと呼ばれる。さて、被検者はOliver君やSophieちゃんにどのように接するか？　なんと、Oliver君には車やパズルのようなおもちゃを与え、Sophieちゃんにはふわふわのぬいぐるみを与えたのだ。まさに、シモーヌ・ド・ボーヴォワールが『第二の性』で述べた、「人は女に生まれるのではない。女になるのだ」を見せつけたような実験結果だ（注：生物学的には、哺乳類はデフォルトが雌で、男性ホルモンの影響によって雄化するので、「人は男に生まれるのではない。男になるのだ」が正しい）。

無意識のバイアスの事例と、それを取り除くことができるという証明で、もっとも有名なのは「ブラインドオーディション」だ。2000年に発表された論文では、米国のトップオーケストラの団員構成に関して、1970年代には男性が95%だった（すでに音大卒業生の半数近くが女性であったにもかかわらず）。そこで、第一次審査に関して、審査員とオーディションを受ける候補者との間にスクリーンを置いて、審査員は純粋に音だけを聴いて判断させることにしたところ（某TV局のお正月の有名番組を思い出していただければ良い）、一次審査を通過する女性の割合が５割上昇して、最終審査で合格する女性も以前の数倍となり、2000年の時点で女性奏者の割合が25～46%に上昇した。

もう１つ、「ハイディとハワード」という、ハーバード・ビジネス・スクールで行われた実験がある。キャリア抜群の上司「Howard Roizen」（男性の名前）の下で働きたいか？　という問いに、被検者のほとんどが肯定したのだが、「実はHeidi Roizen（女性の名前）でした」と種明かしをした場合に、一緒に働きたくないという答えに転じるというものである。履歴書や人物描写が同じであるにもかかわらず、女性リーダーに対するジェンダーバイアスがあることを、この実験結果は示している（なお、約10年後に同じ調査をしたところ、Heidiの下で働きたいという答えが増えたことは、その間のポジティブな変化といえる)。

このような心理的バイアスは人事に大きく影響する。人は自分と近い属性の人を、より信用し高く評価しがちであり、“ボーイズクラブ”は拡大再生産される。そこで東北大学男女共同参画推進センターでは、無意識のバイアスについて啓発するためのパンフレットを発行し、学内の全教職員に配布している(同センターHPからPDFファイルをダウンロードできる)。より強力に推進するためには、人事に関する委員会等の構成員の人的ダイバーシティに配慮することが必要である。

4.2 幼少期からの刷り込み

日本の玩具メーカーのタカラトミーの着せかえ人形「リカちゃん」は、米国の「バービー人形」を真似て1967年に登場した。フルネームは「香山リカ」で、音楽家のパパ、ピエールと、ファッションデザイナーのママ、織江の娘という設定。現在はTwitter公式アカウント(@bonjour_licca)も持っている。それによれば、皮肉なことに、リカという名前であるにもかかわらず「算数は苦手」で、どうも理系ではないようだ。衣装持ちだが、キラキラでフリフリのドレスが多い。

一方、リカちゃんの前に米国で人気を博していた、いわば着せかえ人形本家のバービーの方は半世紀の間に、オリジナルの金髪碧眼だけではなく、肌や髪の色も多様化し、さらに宇宙飛行士や科学者のコスプレもできるようになっている。ごく最近では、車椅子や義足のバービー人形も登場した。このような多様性に合わせた配慮が日本でも必要だろう。

2016年にアイドルグループHKT48の「アインシュタインよりディアナ・アグロン」という歌が、というよりは、その歌詞が炎上した。「*女の子は可愛くなきゃね 学生時代はおバカでいい*」、「*世の中のジョーシキ何も知らなくてもメイク上手ならいい*」という直截な言葉に、筆者自身、かなり衝撃を受けた。

こういう刷り込みを若い世代に与えて欲しくないと心から願う。表現の自由はあるにせよ、放送倫理・番組向上機構（BPO）のような組織が、ジェンダーギャップを助長するような案件に対応してほしい。

4.3　教員の偏見への気付きと払拭

社会経済学者の山口数男シカゴ大学教授によれば、女性が多数を占める職種は、男性が多数を占める職種よりも平均賃金が低くなりがちで、そのことがさらに、その職種を男性が敬遠するという連鎖に繋がるという。仮に資格による給与の差が無い職業であっても、看護師は女性が90%以上を占める職業であり、医療の現場では男性看護師がより求められているものの、なかなか進まない現状がある。

現在、小学校教員の6割が女性であることは、今後、男性が初等教育教員を望まない傾向が強くなる可能性が懸念される。また、職位が上がるにつれて女性の割合が減り、校長では20%程度に留まっている（文部科学省学校基本統計）ことは、生徒に対して「女性はリーダーに向かない」という無意識のメッセージを送っていることになる。

現在、教員免許取得のためにもっとも効率のよいルートは、「教育学部」に進学することである。その方が教育実習などを単位として取得することが可能であるからだ。ここで前述の「理系 vs 文系」の問題が浮上する。教育学部は文系学部であるので、小学校教員の女性のマジョリティは文系女性である。そのことが無意識レベルでも反映され、女子生徒に対して「女性は理系に向かない」という無言のメッセージが伝わっている。この意識はもちろん男性教員も同じである。中学校、高等学校においても「女の子は数学、得意ではないからね」というような言葉をかけられた女子生徒がそれなりに存在するという事実に、筆者は愕然とした。

2021年に内閣府は学校の先生向けの啓発冊子を作り、例えば理科の授業において「実験行うのは男子、記録するのは女子」という、生徒間で自然にできた役割分担に任せていることは、リーダーシップの涵養に関して、ジェンダーバイアスがあると指摘している。また、女子生徒が理科系の科目に関して学習意欲を削がれることにもなるだろう。冊子ではさらに、テストの点数の良かった女子生徒に「〈女子なのに〉数学や理科ができて、すごいね」と褒め言葉をかけることは、「好意的性差別発言」であるとも警告している。文部科学省は都道府県教育委員会を介して、教員研修の参考としてこの冊子を周知するように求めているが、現場の改善に至るには時間がかかるだろう。

コロナ禍で露呈した日本のDX後進国の惨状も、情報科学分野への女性の参画が著しく悪いことと無関係ではないだろう。「コンピュータはオタクな男子のもの」という状態を続けていては、ユーザにとって使いやすいシステム開発は望めず、使い勝手の悪いシステムに高額の費用が消えていくことになる。

おわりに：なぜ社会は女性を必要とするのか？

社会の種々の場面で、より女性が参画すべきなのは、ジェンダーギャップ指数のランクを上げるためではない。女性の参画が著しく悪い分野において、人的ダイバーシティを確保することこそが変革やイノベーションの鍵となるからである。たとえば、2015年に大手出版社のエルゼビアがドイツで行った調査報告「Mapping Gender in the German Research Area」では、学際研究論文の著者の女性比率に関して、男性のみ、あるいは女性のみが著者の論文よりも、どちらの性も著者に含まれる論文の方が、トップ10%論文の比率が高かった。経済分野では現在、エコ・ソーシャル・ガバナンス（ESG）に配慮した企業が投資先として適切であるとされ、女性活躍度に着目されている。日経xwomenによれば、日本の上場企業に関して、2016年時点で女性管理職比率の高さが上位4分の1と、下位4分の1の企業群について、純利益の増益率を比較したところ、前者は28%の増収益になったのに対し、後者は43%減益となった。あるいは、日本における種々の“ボーイズクラブ”が組織の既得権益や体面を守ることを優先し、時代に合わせたガバナンスの上でいかに遅れを取ってきたのかは、日々のニュース等からもうかがい知ることができる。政治の分野における女性の参画が進むことは、国全体の意思決定や制度改革の上で必須である。

現在、「ジェンダードイノベーション」に関心が集まっている。これは、生物学的・社会的な性差に配慮する、あるいはむしろ着目することによって、新たなイノベーションを生み出そうとするものである。有名な事例として、自動車事故に際して、女性は男性よりも、死亡率は17%、重症を負う確率は47%、中程度の傷害を負う確率は71%高い（『存在しない女たち』参照）。これは自動車のシートベルトの開発において、女性の体を考慮されていなかったためである。つまり、男性が普遍的という考え方から脱却し、性差を前提にこれまで着目されていなかった女性の観点から見直すことによって、画期的な研究や製品開発につなげることができるのだ。これは、古い価値観に基づくフェミニズムからの脱却とも言えるだろう。

男女ともに「無意識のバイアス」に気付き、それを払拭すること、また、女性が現代の常識に相応しいリベラルアーツを学び専門性を高める高等教育を受け、セルフコンフィデンスを持ち、これまで女性の参画が拒まれてきた分野で活躍することが、停滞している日本を打破し、地方の活性化を推進し、世界に貢献する鍵となるだろう。高等教育を担う大学において、ダイバーシティ推進の責務はきわめて重い。東北大学はようやく2022年4月5日に「ダイバーシティ・エクイティ&インクルージョン宣言」を発出し、これを転換点としていっそうの取組みを行う覚悟である。

謝辞：

本稿執筆にあたり、東北大学史料館の加藤諭准教授、男女共同参画推進センターの李善姫講師に査読頂きましたことに深く感謝申し上げます。

註・参考文献

ロンダ・シービンガー、小川眞里子、外山浩明、東川佐枝美著、『ジェンダーは科学を変える!?―医学・霊長類学から物理学・数学まで』、工作舎、2002年
スーザン・ピンカー著、幾島幸子、古賀祥子訳、『なぜ女は昇進を拒むのか――進化心理学が解く性差のパラドクス』、早川書房、2009年
スティーブン・J・セシ、ウェンディ・M・ウィリアムス著、大隅典子訳、『なぜ理系に進む女性は少ないのか?: トップ研究者による15の論争』、西村書店、2013年
山口一男著、『働き方の男女不平等　理論と実証分析』、日本経済新聞出版、2017年
キャロライン・クリアド＝ペレス著、神崎朗子訳、『存在しない女たち　男性優位の世界にひそむ見せかけのファクトを暴く』、河出書房新社、2020年
大隅典子、大島まり、山本佳代子著、『理系女性の人生設計ガイド　自分を生かす仕事と生き方』、講談社ブルーバックス、2021年
秋場大輔著、『決戦！株主総会　ドキュメントLIXIL死闘の8カ月』、文藝春秋、2022年
谷口真由美、『おっさんの掟:「大阪のおばちゃん」が見た日本ラグビー協会「失敗の本質」』、小学館新書、2022年
内閣府男女共同参画局HP：https://www.gender.go.jp/
東北大学男女共同参画推進センターHP：http://tumug.tohoku.ac.jp/
国立教育政策研究所・OECD生徒の学習到達度調査：
https://www.nier.go.jp/kokusai/pisa/index.html
国立社会保障・人口問題研究所・人口統計資料集（2022）：
https://www.ipss.go.jp/syoushika/tohkei/Popular/Popular2022.asp?chap=0
東北大学男女共同参画推進センターHP・データ集：
http://tumug.tohoku.ac.jp/public-relations/data/
東北大学HP特設サイト「女子学生誕生の地」：
https://www.tohoku.ac.jp/tohokuuni_women/

第八章　人類の過去のいくつもの転換点の考察
～現在と未来の revolutions のために～

芳賀　満

はじめに～歴史学の観点から過去の様々な転換点を生きる

現代から未来を見つめるためにこそ、古代から現代を見つめる必要がある。今生きている我々が、今の問題を大きく認識しそれに懸命に対処することは、今の個と社会の存続のために当然のことである。自分の意識が自分の肉体に限定されている以上、眼前のコロナ禍が巨大な転換点に見える。

しかし現在のほとんどの事象は人類史の過去の数多の転換点の結果あるいは継続でしかない。たとえばパンデミックは農耕開始による集団生活に、3密状態は古代シュメールに始まった都市文明に淵源がある。本稿ではこれまで我々が辿った転換点を、個人レベルではなく、共同体、国、さらには現生人類あるいは人類系統樹といった大きなレベルで論考を進める。それが歴史学である。

意識を他者や世界へと拡張augmentして現実realityとして認識する理由や方法として愛とか宗教とかがあるが、その人文科学の方法を歴史学とよぶ。岡田英弘氏は歴史学の定義を「人間の住む世界を、時間と空間の両方の軸に沿って、それも一個人が直接体験できる範囲を超えた尺度で、把握し、解釈し、理解し、説明し、叙述する営み」[1)] とする。本稿では「転換点」について、「一個人が直接体験できる範囲を超えた尺度で」「時間と空間の両方の軸に沿って」我々「人間の住む世界」を「把握し、解釈し、理解し、説明し、叙述」したい。これまでの数々の転換点を「把握し、解釈し、理解」することは、眼前のコロナ禍という現在の転換点だけでなく未来の転換点をも「把握し、解釈し、理解」することの基本作業となる。

第一節　転換の階梯の開始〜人類系統樹の伸張と展開

1.1　600万年前〜人類の誕生という転換点

700〜600万年前にアフリカで人類（ヒト）の系統が、後にボノボとチンパンジーへとなる系統と分かれた。これが人類の「誕生」とされるが、人類の歴史の中で最も重大な転換点に他ならない。

この人類系統樹の末席を我々「ホモ・サピエンス」が占める。先ずは、「一個人」、否、一つの人類でしかないホモ・サピエンスが「直接体験できる範囲を超えた尺度で」世界を把握したい[2)]。

この600万年間には、同時に複数の人類が存在しつつ、古い人類が絶滅し新しい人類の系統へと受継がれる「交替劇」が何回もあった。この「交替劇」の一つひとつが人類系統樹での転換点であり、古い人類にとっては総員絶滅という最悪の転換点である。現在のところ最後・最新の「交替劇」がホモ・ネアンデルターレンシスからホモ・サピエンスへの転換である。

この600万年間の常態から演繹して過去の転換事象は未来にも継続する。つまりホモ・サピエンスもいつか「交替」される。それは我々にとっての最後・最大の転換点となる。ただし従来と根本的に異なり、我々には同走する他の人類がいない。従来「交替劇」で古い人類は死ぬが、人類系統樹としての命は同走する新しい人類へとリレーされた。しかしホモ・サピエンスから次のホモへの転換が成らなければ、ホモ・サピエンスのみならず人類系統樹全体が滅亡する。この最も避けるべき人類の未来の転換点が、我々ホモ・サピエンスの双肩のみに架かることは強く自覚されなければならない。

さて600万年前から現在に至るまでさらに様々な転換点があった。当初、人類の世界には時間、暦、地図、死よって生も、天国、宗教、言語、文字もない。これらを獲得してゆくそれぞれが人類の転換点である。

1.2　アウト・オブ・アフリカ〜転換点とその先を追い求め続けて

人類は、一部はアフリカでの生活を続け、一部はアフリカを出た。アウト・オブ・アフリカとよばれる。1回のみの大規模なアウト・オブ・アフリカの後に人類は世界の多地域で進化し現生人類に至ったとの多地域進化説は否定され、1回目の後に、アフリカでのみ人類はホモ・サピエンスへと進化して、6万年程前に2回目のアウト・オブ・アフリカを果たし世界へ拡散したとのアフリカ単一起源説が現在は認められている。

なぜ人類はアフリカを出たのか。その根源的な理由はわからないが、あの道の先のあの曲がり角の先の風景を観たかったからであろう。転換点とその先の風景への強い希求、それが我々現生人類ホモ・サピエンスの世界展開を駆動した根幹理由である。そしてアフリカを出て西アジアの地で、右か左か、東へとアジアとその彼方へ行くか、西へとヨーロッパへ行くか、ホモ・サピエンスは転換点での決断を迫られた。その後も世界各地でのその都度の数多の分岐点・転換点での決断を経て、拡散・分布、形成されたのがこの現在世界である。

1.3　原初の宗教的精神〜物質世界から精神世界への転換

宗教以前の世界認識方法とは木より石が硬く、水より石が硬いといった物質的秩序の追認である。原初的な宗教的精神とは、「(自然界の) 物質的秩序を超越するような関心の表れ」[3] と考えられる。石よりも樹木の持つ生命力の方が強く、石よりも石を穿つ水の奔流の方が強いといった認識である。

物質的で物理的なものでしかなかったこの世界が、人類の認識が投影されて物質や物理の秩序を超越した世界へと変質したことは、人類の世界認識に係わる本質的な転換である。この認識を土台として、生と死、天国、神々、そして人類社会全般の諸認識が生じる。

1.4　石器制作の開始〜文明環境創出への転換点

前期旧石器時代の、現在既知最古の石器は330万年前のケニアのロメクイ出土の石器である。爾来現在までの造形史の99%の期間を石器制作が占める[4]。

人類以外の生物は自然界という造物主の支配下にあり、それに適応して生きて進化する。他方、人類は反自然的な存在で、自ら文化界を創出しその中で自己異化を遂げる。自然界という造物主から進化を奪い取り、自分が支配する文化界のみならず自然界をも含めた未来を自己決定するという不遜な存在である。人新世はここに発する。人類の定義を、自然界から独立して自ら創出する文化界に適応して進化する生物とするとき、その道具としての石器制作の開始こそが、人類が文明環境を作り出す巨大な転換点である。

自然物をそのまま道具として使うのと異なり、自然物を加工して、既に脳内にある石器イメージという完成態に次第に近づけてゆく製作行為は抽象概念の具現化作業である。石器とは機能拡張のための人工的な人体の延長で、人類がこの後連綿と作り出す外延の始原である。月に行くイメージを完成させるべく、アポロ計画のロケットという道具により1969年に初めて人類は月面を踏んだ。ニール・アームストロングは“That's one small step for [a] man, one giant leap for mankind.”と言ったが、その第一歩への第一歩が石器制作の開始である。人類の文化界を改善すべく作られた今般のCOVID-19ワクチンも石器の延長上にある道具である。

1.5　前期旧石器時代にみる美術の始原
〜感性に作用する視覚哲学の創始という転換点

前期旧石器時代の270万年前のエチオピアのゴナ出土の礫石器《オルドワン石器》は、「ハビリス（能力のある）」なアウストラロピテクスかホモ・ハビリスによるもので、最先端の科学・技術による優れた道具ではあるが美術ではない。

感性に作用を及ぼす視覚的象徴性としての美術のはじまりは、住居と火の使用を認めることができるホモ・エレクトゥスによる175万年前のエチオピアのコンソ出土の《アシュール型石器ピック》に見出すことができる。諏訪元氏[5]によればこれはイメージの力によりはじめて「デザイン」された道具である。

他の石器形式よりも格段に3次元的対称性を有するハンド・アックス（握斧）はより高度な認知能力と関連するが、前期旧石器時代アシュール文化の50～30万年前とされるイギリスのウェスト・トフツ出土の《貝化石のあるハンド・アックス》（石製、長さ13cm、ケンブリッジ大学考古学・人類学博物館蔵）は、機能とは別に、見る者の感性に作用を及ぼす視覚的象徴性としての高次の造形で、美術感性の次元での価値を認め遊ぶ高度な象徴的思考の物的証拠で、現代の美術に直結する。

なお、重要な道具であるハンド・アックスの形態と大きな臀部と乳房を有する「ヴィーナス像」は極めて類似する。前者は食欲、後者は性欲という、共に「肉欲」を満たし、以て前者は個の保存、後者は種族の保存を達成する道具であったからか。しかしこれは男の視座からのみ世界を観た誤りであるか[6)]。

1.6　ホモ・ネアンデルターレンシスによる「創造の爆発」～「中期」旧石器革命という転換

従来は絵画などの高度な認知活動は、4万年程前の「後期」旧石器時代の西洋の「智人」ホモ・サピエンスに特権的と認識され、「創造の爆発」あるいは「『後期』旧石器革命」と称されていた。しかし近年、ホモ・サピエンスがアウト・オブ・アフリカの結果現在のヨーロッパに入植する4万5000年前より遙かに遡る、中期旧石器時代の6万4800年前と確実に年代決定される具象絵画がイベリア半島で発見された。《イベリア洞窟絵画》（スペイン、ラ・パシエガ洞窟等）である。高度な認知能力の証左であり、従って「創造の爆発」という転換点は、「中期」旧石器時代にホモ・ネアンデルターレンシスによることが判明した。

なおこの時代には《刻みのある骨》（マドレーヌ文化、フランス、ル・プラカール洞窟出土、長さ18cm、パリ、人類学博物館）等も多く発見される。刻みは様々な石等によって付けられている。また幾つかの刻みごとに刻線で括られている。以上からこれは原始的な暦とする考えもある。その検証は難しいが、我々はどこかの時点で時間という概念を創造し、その不可視の概念に刻みを施し暦を創造した。これも転換点である。

1.7　死、生、魂、天国の創造という転換

我々はある時点で埋葬行為を始める。死体を、動かなくなった腐る体ではなく、いまだ人間ではあるが別の存在と成ったと認識し、つまり「死」を創造し、且つそこに生前の人格つまり「魂」の保持と継続を認めるという認識の物的証拠である。ホモ・エレクトゥスでは発見されていないが、ホモ・ネアンデルターレンシスが埋葬行為を開始している。死の発明は世界認識の根本に係わる転換である。

副葬行為もある時点で始まった。それは「魂」が別次元・別世界へ移行しそこで存在し続けるとの認識か。ならばそれは「天国」の創造である。その確証はホモ・サピエンスからで、中期旧石器時代のイスラエルのナザレ近郊カフゼー洞窟遺跡出土の、シカ角が副葬品とされた人骨がその事例である。これは宗教美術の始まりである。これ以降から現代までの美術の大半が、新石器時代のギョベックリ・テペのT字型石柱はもちろん、ギリシア・ローマの神々、仏教、キリスト教、イスラーム教に関わる宗教美術であるが、その始まりである。

1.8　後期旧石器時代
～ホモ・サピエンスの時代への転換とそのデフォルト条件の設定

後期旧石器時代にはホモ・サピエンスが唯一の人類となった。最初の「創造の爆発」という称賛は中期旧石器時代のホモ・ネアンデルターレンシスへと贈られることとなったが、ホモ・サピエンスが後期旧石器時代に生活技術一般、音韻言語、計画行動・未来予知能力において画期的な進捗を遂げたことは確かである。

文字が無い先史時代の哲学の転換は、美術という視覚哲学において検証するしか手段がない。3万7000年前の《ショーヴェ洞窟絵画》から1万8000年前の《アルタミラ洞窟絵画》、1万7000年前の《ラスコー洞窟

絵画》等々である。

後期旧石器時代には、その後の世界（史）のデフォルトが設定されたことを確認したい。この時代に南極以外の四大陸にホモ・サピエンスが定住し、環境への適応の結果として安定した分布を示す。アフリカ大陸にネグロイド、ユーラシア大陸西半分にコーカソイド、東半分にモンゴロイド、アメリカ大陸にモンゴロイド、オーストラリア大陸にネグロイドとの「人種」分布が、以後の世界（史）における永い間継続した初期設定条件となる。

しかし何千年も後の大航海時代等に、本来ユーラシア大陸西端にのみ居たコーカソイドが、「新大陸」を「発見」してそこを「西洋」と成し、且つネグロイドを奴隷貿易によりそこに連行し、この社会の基本設定条件が変更された。グローバルな「人種」分布の転換が起こったのは近年である。たとえばBLM（Black Lives Matter）運動もここに起因する。

1.9　新石器時代〜農耕牧畜の開始から物質文化の横溢と流通への転換

1万年程前に始まる新石器時代は、磨製石器の出現、土器制作の開始、紡織技術の発明という転換の時代である。特に狩猟採集という食糧獲得社会から、食糧生産社会への転換である農耕牧畜の開始がこの時代の特徴である。

佐藤洋一郎氏は農耕を「禁断の果実」を囓った原罪とまで見做す。農耕によってひとたび人口が増えれば、餓死は許されないから農耕はもはや放棄できない。この人口圧ゆえに農耕開始以前の「エデンの園」に戻れないことは人類社会の不可逆的な転換点であった。

また農耕に適した特別な土地が定住対象の不動産としての高い価値を有するようになり、農耕とは「領土」を巡る「戦争」の原因ともなった。種子繁殖の栽培植物においては余剰生産物を生み、定住集落における余暇をもたらし、より時間をかけて石器を加工するゆとり、市場の誕生、そして交易、分業、階級、国家の形成を促した。農耕は祭祀を伴う文化でもある。農耕の開始は人類社会の様々な分野での転換点であった。

農耕により集落人口が飛躍的に増大し定住性も高まったことは環境悪化と農地枯渇をもたらし、巨大集落は後期旧石器時代には急激に規模を縮小したが、さらに紀元前6300年頃からの寒冷化現象である8.2kaイベントを乗り越えるために生業戦略は多様化され、多様化・機能特化した彩文土器も生産されるようになる。衣食住レベルでの物質文化が横溢し、それは多文化間の交易品ともなった。

農耕の開始は現代の戦争、人口問題、大量生産、商業的物質文化、商品の物流・交易への人類史上の大きな転換点であった。同時に、600万年の人類の歴史の中でわずかに1万年前の転換点から始まったに過ぎない農耕牧畜とそれに立脚した今の人類社会とは、まだ端緒に就いたばかりで未体験のことが多いことも確認される。

1.10　青銅器時代西アジア～都市文明というヘロイン

この時代には職業の専門化が進み、高速ろくろや型作り（レディメイド）による大量生産（マスプロダクション）のウルク等での物質文化が加速する。それが西アジア各地へ拡散する「ウルク・エクスパンション」は現代の物質文化のグローバリゼーションへの転換点である。

特筆すべきは、後期銅石器時代のシュメール人が担うウルク期、ジェムデト・ナスル期に、人類は初めて都市文明という全くの別次元に突入したことである。都市という転換点を経て人類は覚醒状態に入った。爾来、世界の文明におけるほぼすべての新知見や創造が都市において出来した。

しかし都市こそがコロナ禍の原因である。超過疎の狩猟採集時代ならば広い土地に点在する小集団内で集団免疫が獲得されればウィルスは行き場を喪失しそこで終了した。農耕時代に限定地域での大きな協働集団内で必然的にエピデミックが起こり、シュメールの都市文明の開始が3密状態の創出であった。爾来2020年のパンデミックは歴史上必定のことであった。

ならば我々人類は都市文明を放棄すべきだが、無理。現在では生活、事象、商品だけでなく、現代文明そのものが都市により支えられ生産され消費されている。コロナ禍の根源は歴史に深く根ざし動かしがたい。都市とは、宗教効果（神殿）、政治効果（権力者の宮殿）、司法効果（裁判所）、経済効果（市場）がレベル違いに高い場で、そこに集中する様々な思念、思考、活動がスパークする場で、脳が発達したホモ・サピエンスにとっては麻薬のような快楽をもたらす場である。

ニュー・ヨークはシュメール以来の世界史上の都市の最高峰であろう。1966年にこの都市で録音されたルー・リードの *Heroin*（The Velvet Underground & Nico 1967 所収）が、都市とは何であるかを正に謳う。都市とは“When I put a spike into my vein / And I'll tell ‘ya, thing aren't quite the same / When I'm rushin' on my run / And I feel just like Jesus' son（俺の血管に釘撃つと / 凄く世界が全く別のもんになんだよ / 俺が高ぶって行くと / ほんとジーザスの息子になった気分)”となる場である。これがシュメールの都市に住んだ人々が感じた、血管を駆け巡るような高揚した気分であろう。そして一旦その都市文明を経験してしまったら、たとえ“I wish that I'd sail the darkened seas / On a great big clipper ship（暗黒の海を航海したかった / 偉大な大きな帆船を駆って)”と思っても、“Away from the big city / Where a man can not be free / Of all of the evils of this town / And of himself, and those around（この大きな都市から逃げたい / そこは自由ではいられない場所だから / この街の全ての悪徳から / そして、自分自身、そして周りの人達から)”と都市を定義して憎悪してそこから逃げることを願っても、結局はすぐに“Oh, and I guess that I just don't know（嗚呼、本当に何にもわからないんだよ)”とか“'Cause when the smack begins to flow / Then I really don't care anymore（だって、刺激が体を廻り出すと / もう本当に何でもどうでもよくなる)”と訳がわからなくなって、都市のメロディーとノイズ、耽美と破壊、ポップとパンク、表裏、明暗、光陰の両方に搦め捕られて、人々は都市を止められない。都市とは正にビッグ・アップルを囓った後の原罪で、そこから逃れるにはヘロインを打つしかなく、するとまるでキリストの息子になった気分になるが、結局都市からは逃れられない。都市文明とは中毒性の極めて強い「ヘロイン」で、それを人類がキメ始めた時が人類史上の不可逆的な転換点であった。

1.11 鉄器時代という現代〜今に直結する転換

石器、青銅器、鉄器という利器の転換により時代を区分する三時代法に拠れば、紀元前15世紀頃のヒッタイトから現在までが同じ鉄器時代である。材質に基準を置く時代区分という革新的な認識方法ではあるが、あまりに大雑把で且つヨーロッパ地方の考え方を新大陸や日本も含む世界に拡張適用した乱暴な概念である。

しかし一方で改めて考えてみると、鉄器時代として様々な意味で一括りの歴史段階と認識するのは正しい。東北大学では今も増々高度なKS鋼や超高純度鉄を研究しているという意味だけではなく、同じ利器に基づく同じような生産手段による同じような社会がこの頃の過去から連綿と継続しているからである。鉄器時代の様々な転換は現代社会に特に直結している。

この頃に発明される馬具、戦車などは現代の「メルセデス・ベンツ」に直結するし、ろくろ、型作りも現代の商品の大量生産と商業的物質文化の根幹である。農耕による人口増大と管理の必要から楔形文字が発明され、人類は歴史時代に入る。文字による記録により空間と時間の超越が図られ、富の蓄積と社会の成長という典型的西洋文明型社会発展モデルが起動し始めるのであり、我々は未だにそれに乗せられ縛られ翻弄されている。美術や建築はそのような社会での権力と富の誇示、宗教的・政治的喧伝のメディアであり続けている。鉄器時代の精神の支柱で権力の根拠としての守護神の偶像（アイドル）は現在のアイドルに直結し、都市神が祀られる天をも摩するジックラトはエンパイヤー・ステート・ビルへと発展する。

すでに青銅器時代にアッカド王朝サルゴン王がメソポタミアを軍事力で統一し、その広域支配国家のもとで西アジアから地中海域に至るまでの文化・経済圏が成立する。ゆえに多様性を維持するためのルール規定が必要となり、ハンムラビ法典碑が公開・周知される。

鉄器時代後期は新アッシリア帝国、アケメネス朝ペルシア帝国等の帝国の時代である。帝国とは本来、複数の異なる民族、言語、文化、美術、信仰、地域の広域包括統治システムであり、多様性の許容と共存、包摂・包容の制度である。現在まるで新しい概念かのようにダイバーシティ、インクルーシブ等が声高に叫ばれるが、その始まりは古代西アジアの帝国にある。美術という視覚的造形言語が自然言語を超越する到達性を持つとき、帝国の壮麗な宮廷美術が王の正当性と権威の視覚化に貢献する統一的支配と顕彰の装置であることは、最初の世界帝国である新アッシリア帝国、アケメネス朝ペルシアの美術において明らかだが、それは2022年の「イギリス帝国」の女王エリザベス2世の国葬においてもなお極めて有効であった。美術はいつも荘厳化と美化・隠蔽に極めて効果的である。

古代エジプト文明の重要性は、地方分権と中央集権、異民族支配の甘受、一神教とその美術等の、後代の人類が直面する大きな転換点、課題を既に経験していることにある。第2中間期に異民族ヒクソスの支配を受けた後に、新王国時代には既にトトメス3世は本国への侵略危機への防衛の為に国外征服地を植民地とする。古代のこれらの転換点は極めて近現代的な事象へと直結している。

1.12　激動のヘレニズム時代の女神〜運命の転換を司るテュケー

激動の時代には転換が強く意識されるが、その一つがヘレニズム時代であったろう。様々な国際勢力が並立した時代でもあり、「バイ」（二国間）ではない、現代に通じる「マルチ」（多国間）の外交関係が始まるのもこの時代である。

クラシック時代に人々は一つのポリスに限定された生涯を送った。しかしアレクサンドロス大王東征の後のヘレニズム時代には、その確固たるポリス社会が揺らぎ、世界は外界に対して広く開かれ、多くのギリシア人がインドにまで拡がった東方世界へ己の運命を試し幸運を求めて出て征った。見知らぬ新天地での違和感、疎外感、不安感が時代の支配的な雰囲気となった。

「幸運」、「運命」、「チャンス」を意味する普通名詞 *τύχη* の擬人化である女神テュケーは幸運、運命の転換を司る神であったが、クラシック時代までは特に人格も神話もなくその美術事例も僅かであった[7]。しかし波瀾万丈で不安定なヘレニズム時代に運命の転換が様々な場面で起こると、誰もが幸運を請いテュケーへの信仰は高まる。動乱の時代において、運命の転換の女神テュケーは万象の行く末を定め司る宇宙の意志の如き強大な存在となり中心的な神格となった[8]。ポリュビオス[9]は「当時世界のほぼ全域の支配者であったペルシアがその名さえもが跡形もなく滅亡し、代わって、それまで名も知られていなかったマケドニア［のアレクサンドロス大王］がすべて（オイクノメ）の支配者になるとは！」、これはすべてテュケーの力である、と述べる。

さらに興味深いことに、快楽の宮殿に居て太子として生き転輪聖王（てんりんじょうおう）と成るのではなく、都の城（じょう）を踰（こ）えて苦行の山野へと出家する道を選ぶシッダールタの、生涯でも最も大きな運命の劇的な転換を司り見守り寿ぐ強大な神として、ガンダーラ仏教美術の「出家踰城図（しゅっけゆじょうず）」にもテュケーが登場する[10]。激動の転換の「ヘレニズム時代」を生きる現在の我々にも女神テュケーは微笑むのだろうか。

第二節　「ただの人」による「蒟蒻の粉」という幸福（さいはい）な転換～その総体（ホーリズム）という歴史認識

夏目漱石は「人の世を作ったものは神でもなければ鬼でもない。やはり向う三軒両隣にちらちらするただの人」（『草枕』1906年）であると言う。本稿のように歴史的な転換点という、通常状態からの大きな逸脱を考察していると、この「ただの人」を見逃してしまう。またコロナ禍が念頭にあると、歴史上の正への転換と負への転換の二種類のうちの後者を注視してしまう。しかし歴史と文明のほとんどはむしろ「ただの人」による幸福な転換に満ちているのではないだろうか。

幸田露伴は「文明の庫」(1898年) で「文明史は即ち幸福の歴史なり」とし、「戦史の上に現るる人々」よりも、今机上の「湯飲み茶碗」や身を温かに包む「綿ふらねる」や「蒟蒻の粉」等の「人間の幸福」を作った人々を讃えようと言う。「人間の幸福の多くして厚き世を、文明の世といひ、幸福乏くして薄き世を、未開の世といふ」とし、文明の「幸福」とは「多くの人々の頭より出で手より出でたる恩恵の絲によって間罅も無く縢られたる」美しい「毬子」のようなものであると言う。

劇的な転換点ではない。しかし「ただの人」による「蒟蒻の粉」等のささやかだが「幸福」な転換の総体こそが歴史の本流であると捉えたい。それが歴史を考える我々の幸福な使命でもある。転換点を考察するにおいて、以上の大前提をここで一度確認する次第である。

また本稿では転換点を追うが、それを画期と認識して歴史を時代毎に分節的に理解するのはむしろ容易だが、その態度には賛同しない。転換によって区切られる画期による歴史理解には狭窄性がある。むしろ多くの転換を経てそれらが連続的に積み重なっていると捉えたい。歴史は革命的分断の地域個別の正史ではなく、連続的蓄積の総体の生命誌で捉えたい。それこそが教養だからである。

第三節　現代～技術が世界を転換・加速

以上本稿では転換点を辿り先史時代から概観したが、ユーラシア大陸しか対象とせず、且つイスラームもモンゴルも扱っていない。しかしもしもここでつぶさに観てゆくと、結局は世界史は転換点の連続だから、単に世界史教科書もどきの記述に陥るだけである。転換点という真砂は尽きないので、あくまでケース・スタディとして先史・古代のユーラシア大陸の一部を観察し終えて、現代へと飛び越えたい。するとやはり現代は技術の躍進と転換の時代である。

3.1　文明の動力源の転換～外燃・内燃機関の発明

エンジンが発明される以前の文明の動力源は筋力であった。水力（河川舟運や水車等）は水域に限定され、風力も限定的で自然任せで不安定である。使役される牛馬そして人間の筋肉こそが道具・人工物を製作し自然界を改変し物事を稼働し文化界を創造した（ゆえに筋肉が女性よりも優れる男性が、特に市民皆兵の原則の下に、筋肉の弱い女性を排除しつつ、兵士となり市民となり文明を支配した）。それゆえに、牛馬、人間という「エンジン」の「ガソリン」である食糧を生産する農業の発達したところに大文明が生まれた。

ゆえに1690年のドゥニ・パパンの蒸気機関模型、1698年のトマス・セイヴァリの「火の機関」、1712年のトマス・ニューコメンの蒸気機関、そして1769年のジェームズ・ワットの蒸気機関といった外燃機関の発明と改良・普及は、文明の原動力の転換という根源的事態であり、産業革命、石炭を燃焼する時代を招来した。さらに内燃機関が19世紀に開発され普及し、ニコラウス・オットーが4サイクル・エンジンを開発し、その後の液体燃料を使用する貯蔵、運搬性、熱効率に極めて優れたガソリン・エンジンの実用化は世界を転換した。ゴットリープ・ダイムラー、ヴィルヘルム・マイバッハ、カール・ベンツといった技術者らにより人類はメルセデス・ベンツのスリー・ポインテッド・スターの如くに「陸と海と空」の自然界をエンジンという文化を稼働して征する。まさに「行ケヤ海ニ火輪ヲ轉ジ、陸ニ氣車ヲ輾ラシ」（1871年 岩倉遣米欧使節団への太政大臣三条実美の送別辞）との西洋文明である。ユネスコの「世界の記憶」に「カール・ベンツが1886年に申請したドイツ特許37435号『ガソリン・エンジンを動力とする車両』」[11] が2011年に登録されたのは、“the beginning of the emergence of individual mobilization in industrialized countries and its spread throughout the world.” とされるその「OUV（世界的意義）」だけでなく、それが人類の文化界が地球の生態系や気候といった自然界に格段の影響を及ぼす人新世における特に大きな転換点であったからである。

ならば筋肉の強さが、より直接的には兵士としての筋肉の強さが社会や文明を支配する時代は、外燃・内燃機関の発明と普及により終わった筈である。日本では武家・軍人が権力を保持する時代は平氏政権、鎌倉幕府から徳川幕府を経て昭和時代前期まで続き、昭和時代後半には男性のモーレツな「企業戦士」がまだ跋扈したが、それも終わりつつある。外燃・内燃機関という科学的「筋肉」の発明によって、男性の強い筋肉という男女共同参画を阻害するほぼ唯一の社会差異は無くなり（子宮の有無の差異はまだある）、さらに母乳の代替としての粉ミルクもある現在、男女平等の理念は遅滞なく現代社会において実現されるべきである。

3.2　タンパク質の保存・運搬技術〜冷蔵・冷凍という転換

人間生存に必要なのはエネルギー源の糖と身体をつくるタンパク質である。糖の分子が重合したデンプンは堅果類（栗、団栗等）、根菜類（タロイモ、バナナ等）、穀類（米、麦等）から摂取できる。タンパク質は家畜と乳、野生種の哺乳類、魚介類と卵、鳥類と卵、昆虫、大豆製品等から摂取できる。これらのデンプンとタンパク質の各種の組合わせが世界各地の食文化である。

さて、デンプンは保存性も運搬性も良いが、タンパク質は腐敗し保存性も運搬性も悪い。ゆえに古来、乾燥、加熱、脱水、燻煙等の工夫が重ねられたが、冷蔵・冷凍技術と防腐剤の発明という技術的転換により保存性が飛躍的に伸びた。それに運搬性を加えたクール宅急便（1988 年 ヤマト運輸）等は文明の様態を変えるほどの画期的な営為である。新生児養育の唯一の手段であった母乳も、19 世紀に発明の近代的粉ミルク、近年の乳児用液体ミルクにより代替できるようになった。扱いの難しいタンパク質に係わるこれらの技術的転換は、妊娠以外で男女平等が実現する道筋を付けた。

3.3　小型化・密集化・有限化する世界〜 1990 年以来の巨大な転換と加速

18、19 世紀を土台として、1990 年以降にも技術による巨大な転換があったことがすでに 2009 年に警告されている[12)]。世界は「小型化・密集化・有限化」したのである。それがシュメール都市文明に端を発することはすでに観たが、特に以下の 4 点の急激な転換があった。

1）世界人口が特に発展途上国で急増した。1990 年に 52.79 億人であったのが 2013 年に 71.25 億人へと急激に 1.35 倍に増えた。
2）IT 技術の革命的進展があった。農業開始などの「新石器革命」は実際は何千年もかかる「プロセス」であったときに、コンピュータの処理能力は 1990 年からの 20 年間に 100 万倍に加速し、世界規模での情報網の発展と様々な情報の同時共有が進んだ。
3）政治経済の分野では東西構造の崩壊があった。ソ連崩壊、中国・韓国の発展である。それにより経済システムの統一が進み、世界規模での資源獲得競争が激化した。イスラム世界の進出があり、多様性の尊重、様々な分野での対象の相対視化の進展があった。日本でも平成時代とは何も成さない平らでつまらない時代であったが、LGBTQ ＋や SOGIE への理解の促進などに代表される多様性の尊重が始まった。
4）温暖化現象などの地球規模での気象研究などから、地球システムの解明の進展と地球システムの脆弱性と有限性の認識が進んだ。

全ての事象において、転換の速度が極めて加速していることが現代の特徴である。

第四節　停滞という転換の踊り場の必要
～ライト兄弟からアームストロング船長の後の空に架かる虹

1903 年のライト兄弟の初の有人動力飛行から、70 年も経ずに 1969 年にアポロ 11 号が月面着陸し人類が歩いたとの技術発達速度は驚異的である。59 秒間の 259 m の飛行距離が、月までの 5 日間で 38 万㎞とは、146 万倍の躍進である。

ここから 2022 年の現在、二つのことが導き出される。

先ず、月面着陸を歴史上の偉業であると褒め称え、その後の特に IT 技術の躍進に注目し、我々人類を自画自賛して、これからのさらに輝かしい薔薇色の未来を無邪気に夢みることが可能である。

他方、1969年以後の有人飛行距離だけを単純に考えると、火星どころか再び月にも人類が到達できていない現状では、人類は明らかに何らかの限界を突破できていない。人類には爆発的に進歩する時代とそれが停滞する時代があるようで、オンラインの社会浸透を進めはしたがコロナ禍の今は、基本的に後者にあたり、グローバリゼーションを停滞させている。進歩の停滞という概念を人類は意識しだした。本稿でも転換点を進歩としてプラスに評価してきたが、科学技術に否応なく強力に牽引されている現在の人類こそ、むしろ階梯途上の踊り場での停滞をこそ必要な転換点と評価する視座あるいは哲学が必要なのかもしれない。

これまでの人類の幾つもの転換点でも、その意図や結果を先ず考察･吟味した上で行動することなどほぼ無かった。アウト・オブ・アフリカによる人類の世界進出も行為が意図に先立つ事象である。しかし特に現代は意図に行動が先立つのみならず、その行動速度とその環境に与える影響があまりに甚大で加速し過ぎている。

トマス・ピンチョンの小説 *Gravity's Rainbow*（1973）（佐藤良明訳『重力の虹』新潮社 2014）はまさにそれを指摘する。主人公の勃起と西欧近代の知と産業と暴力を象徴するV2ロケットが連動する。主人公が女性と性行為した場所に即ちロケットが落ちるという、あからさまに行為が意図に先立つ様は、特に現代の人類の急速･拙速な進化あるいは転換に対する警鐘である。

ロケットのように古代エジプトの聖地に勃起するのがオベリスクだが、それはアウグストゥスらによって権力の象徴として古代ローマに運ばれた。末期王朝時代のファラオがヘリオポリスに建立したオベリスクを、紀元前10年にアウグストゥスがローマに移設し日時計のグノモン（指針）と成した。今はイタリア共和国下院の前に立つ。紀元前1250年頃のラムセス2世のルクソール神殿の西オベリスクは、パリのコンコルド広場に立つ。面白いことに1993年の反SIDA国際日の12月1日にBenettonはこの男根にピンクの巨大コンドームを被せた。母なる自然界の同意も得ずにそこに一方的にロケットを打ち込む人類とその文明環境には「避妊具」を被せる必要がある。

但しこの現代文明という「ロケット」は解体・消滅したように見えても、transformation（変換、転換）を続け存続し続ける。小説のエピグラフにはドイツ軍のV2とアメリカのアポロの開発に係わったヴェルナー・フォン・ブラウンの以下の言葉が掲げられる。"Nature does not know extinction; all it knows is transformation. Everything science has taught me, and continues to teach me, strengthens my belief in the continuity of our spiritual existence after death.（「自然は消滅を知らず、変換を知るのみ。科学が私に教えた、そして教え続ける全てのことは、死後も我々の霊的な存在が継続するという私の信念を強めるばかりである」)" これは、埋葬や副葬行為により死、魂、天国を創造した人類の信念のことだ。しかし、爾来、文明は発展し、人類の魂だけでなく、その文明そのものも消滅を知らないものへと変貌したと、このロケット科学者は考えているのだろうか。

こういった科学者あるいは専門家が「誰とでも寝る『専門研究』、ナチとも寝て、平和主義とも寝る。」としばしば批判されるのは、専門科学だけを一元的な判断規準とする「一次元的人間（one-dimensional person)」であるからである。専門家としてのポジションが活動のレンジを1つのコードで規定してしまう、担板漢とも言うべき人間である。ユダヤ人を殺すべきでない等の多くの多様なコードを参照せず、職務に忠実に従っただけとイスラエルでの裁判で弁明したアイヒマンと同種である。そうならないためには専門職務とそれ以外の市民や人間としてのコードや文脈との間を往復することが必要である。現代では、多元的コードを参照できる専門家、「多次元的人間」が必要で、ゆえにホーリズムへの転換が必要なのである。

近年、社会や特に大学でCreativity（創造性）が強く要求されている。しかしそれは一世代を視野に所有権、権利を主張する態度でその結果の責任はとらない。現代に必要なのはGenerativity（世代継承生成性)、一世代を超える視野を持ち権利を要求しないが責任を負う態度である。前者がRevolutionaryならば後者がVisionaryである。我々はそのような転換点を期さないといけない。

その点、人新世との概念は文字通りに画期的である。これは地球上で人類は特別ではなく、その絶滅が世界の終わりなのではなく、恐竜が滅んでも世界は平然と続いたように、人類が滅んでも人新世が終わるだけでまた次の時代が始まる、つまり盛者必衰の理は人類系統樹にも適用されるという世界認識に他ならない。

「一次元的人間」である現在の人類がV2ロケットばかりを「一筋の叫びが空を裂いて飛んでくる」と自然界に向かって射ち込み続ければ、ロケットと共に人新世の終わり、人類の、少なくともホモ・サピエンスの終焉という最期の転換が確実にやって来るであろう。

ただし、自然の部分部分は生成消滅するが、確かに総和としては、“Nature does not know extinction; all it knows is transformation.”は正しいのかもしれない。つまりホモ・サピエンスはextinctionという転換点を迎えても、natureという総和はextinctionすることなくtransformationするだけなのである。その場合は、特定の個人の魂が死後も変換・転換して天国で霊的に存在し続けるように、一つの人類であるホモ・サピエンス全体の魂が美しく糧となるものとして、その絶滅の後にもnatureの中に転換して存在し続けてほしいものである。

第五節　コロナ禍という転換点を巡る諸考察

コロナ禍という今回の転換点は、パンデミックという世界同時性が特徴である。グローバル社会であるがゆえの国際性の極致としてのパンデミックであり、それはグローバル化を良いこととして推進した現代世界へのしっぺ返しであり、しかしながらコロナ禍対応のためには国際的な連携が必要であることへの皮肉でもある。メディアの発達、特に近年の驚異的なインターネットの発達により我々は共時的世界に生きている世界市民であることをはじめて実際に自覚してはいたが、それを多分人類史上はじめて皆が本当に肉体でもって実感したのがコロナ・パンデミックである。自分が所属する部族の構成員だけを「人間」と見做した原初、福音を受けていない先住民はキリスト教信者という「部族」の構成員でないから「人間」でないと殺戮劫掠したコンキスタドール、彼らも「人間」であるとの教皇パオロ3世の1537年の勅書等々の諸段階を経て、やっと現在我々は、形態・行動上の「クライン」（連続的差異）はあるが、皆同じ単一種で同一世界に生きる「人間」であるとの理念を持つに至った。この過程が「人間の世界史」であるとも言えようが、コロナ・パンデミックはこの理念が本当であることを初めてウィルスによる肉体の連帯感で実感させてくれた。

いつも災害は社会の歪みをその表面に顕現させる。たしかに人類全体ははじめて共通の敵をもつことを実感したが、それは互いへの寛容と連帯の精神をもたらしたか。人命と経済に関わる新しい倫理観が生じたが、それは体を優先して心は二の次ではないか。我々は隔離によりオンライン・コミュニケーション・スキルを余儀なく発達させたが、人との意思疎通はむしろ不自由で不得意となったのではないか。ロックダウンで内省が促され我々は所詮死すべき存在であることを意識したが、神の存在はどうなったのであろうか。特に神の存在感がない日本ではアマビエとかいう疾病封じのキャラクターが面白可笑しく流行っただけだ。

逆に、惨事こそが文明発展の契機、転換となる事例も多々ある。寒冷化現象である8.2kaイベントは、生業戦略を多様化させ多文化間の物質文化を横溢させた。1348年のペストの流行でヨーロッパ人口の半数が死に農民の大多数が死んだ結果、農奴制度が崩壊した。第2次世界大戦では出兵した男性の代わりに社会的役割を担った女性の地位が向上した。

空間と時間を超える非対面の情報交換の起源は6万4800年前のホモ・ネアンデルターレンシスによる《イベリア洞窟絵画》にある。ホモ・サピエンスによるアルタミラ（1万8000年前）やラスコー（1万7000年前）の洞窟絵画も、定住しない狩猟時代であるにもかかわらず世代をも超えて使用され、絵画を介して情報が交換された。5,500年前には我々は（楔形）文字という別の情報交換手段をも獲得して歴史時代に入る。この長い歴史に比して、ここ僅か2年程でコロナ禍ゆえに非対面のオンラインが急激に進んだことは歴史的前進と評価すべきである。

本稿での歴史概観を踏まえて、現在の転換点であるコロナ禍を巡る批判的考察をしたい。

5.1　コロナ禍～世界同時の革命的な転換点

歴史上の転換と現代の転換に係わる認識の相違を確認する必要がある。

転換に要する時間の違いである。石器等のセットである「道具箱」は、ホモ・ネアンデルターレンシスのは17万年間替わらず、一方クロマニョンは頻繁に1万年毎に変更し、今の我々の「スマホ」は数年毎に世界同時に機種変更される。後期旧石器時代の人口は現在の1%以下とされ、人類は生存のために少員数の集団を構成し、集団間のコミュニケーションも限定された。この世の圧倒的すべては自然界で、その中に人類とその人工物である石器等が極僅かに挿入された。ゆえに転換、つまり文明の変化には莫大な時間が必要であった。農耕の始まりもG. チャイルドが18世紀英国の産業革命に比肩するとして「新石器革命」と呼び、その影響度合いに関してはこの認識は正しいが、人類が農耕を受け入れた社会転換過程は「革命」程に急激ではない。西アジアのコムギ穂軸脱落跡の研究から野生型（脱落型）から栽培型（非脱落型）への移行過程は3000年以上かかったとされ、現在では「革命」ではなく「プロセス」と認識される。

歴史上の様々な転換は全人類同時ではないが、コロナのパンデミックは瞬く間であった。

以上を鑑みれば逆にコロナ禍が、革命的に急激で、世界同時であり、従来とは全く異なる転換であることを再確認できる。

5.2　我々の歴史と身体の内にあるコロナ
　～制御下の暦から、想定外のわからなさへの転換

誰がコロナ禍へと続く道への転換を選択したのか。“there is special

providence in the fall of a sparrow"(『ハムレット』)といった神の摂理を前提とすれば人類などに選択権はないが、ここでは絶対神は想定しない。コロナ禍は上述のように人類が幾つもの転換点での選択を重ねてきた結果である。人類に選択権がない地震、津波、隕石の衝突等の自然現象による転換ではない。これらにせよ予測行動能力のあるホモ・サピエンスは「想定外」とすべきでなく、まして福島原発事故等は「文明災」(梅原猛氏の概念)であるが、コロナ禍こそ「文明災」であり我々に責任があるとの認識が必要である。

そもそも、物事一般すべてが我々の「制御下」("under control"、福島原発に言及した安倍晋三首相東京オリンピック誘致演説、2013年9月7日、ブエノス・アイレス)にあり、したがって我々の意志と暦に従うべきだとするのが、「最近」の若い世代の傲慢不遜な考えである。「最近」とは、上述のように、生業としての狩猟採集を捨てて農耕(特に種子繁殖)を開始した頃である。600万年間での1万年前であるから人類の歴史全体の直近0.16%程の「最近」のことである。

そもそも、人類は利器である石器を作り出した330万年前頃から勝手に自然界から独立して文明界を創造し始め、今やそこにのみ生きる反自然的な存在となり、自然という造物主から進化の権能を取り上げ、未来の決定権は自己の手に握っていると自負する。永らく同走していた他のホモ達は滅亡して久しく、今やホモ・サピエンスだけが単独で地球表面を覆う。この我々の傲慢を、コロナ・ウィルスは自然界の代表として逆襲し嗤いに来たのであろう。人類によるコロナ対策のスケジュール、計画、プランニング、スキーム、目論見を次々に覆し何回も感染の大波が襲う。

且つその敵であるウィルスが宿り進化するのが我々の肉体内であり、その敵の拡散は我々同一種のホモによる地球規模の国際的な文明界のおかげである、という皮肉に我々は翻弄され続けている。そもそも、コロナ禍を「人類 v.s. コロナの戦争」とする認識が頻繁に示されるが、コロナは受け容れることであって敵対対象ではない。コロナ・ウィルスは、どこか外から来た「外なる敵」ではなく、歴史的に我々が我々の文明に内包した、我々の文明界と身体内に属した我々の「内なる共同体」なのである。仏教的には草木国土悉皆成仏の一員であり、ならばコロナ・ウィルスが成仏する可能性さえ佐藤弘夫氏は指摘する[13)]。こういった認識の上で、再びの「想定外」の大災害であるコロナ・ウィルス禍への現実的対応策を講じ、またコロナ後の人間の在り方を広く深く考えるのが現人類の喫緊の課題である。

なお、そのためにこそ文明界にあるのが大学であり、そこでの教育と研究が人類の今後を決める。この意味で大学こそ文明の象徴ではあり、たしかにそれは暦に支配され、シラバス、単位取得等の計画性に満ちた仕組みである。しかし一方で、文学部等におけるように大学は「夏炉冬扇」を許すだけでなく、どこか野蛮で「想定外」をも包容するおもしろい場だ。

今後、まことに文明は贅沢にも「制御下」と「想定外」の両方を必要とする。そのためにも大学はもっと野蛮であるべきだ。大学は、文明的に「制御」されつつも、必ず「想定外」を奔放に夢想するべきである。それをコロナ禍から我々はあらためて学んだ。主体的・自律的な大学等での学修・研究においては、人間は勝手に主体となって勝手に自律と想定しているだけであり、実は人間は自然によって覆され凌駕されることをも大いにあることを豊かに想像しなければならない。

コロナ禍とは「わからなさ」だ。コロナ・ウィルスの来歴も変異の行方も鵺のように正体がわからなく、したがって我々はほんの少し先の未来もわからない。人類は総力を挙げて万全に計画・準備・実行する。しかし一方で文明界の人知が及ばない領分が、学問対象と実世界には直ぐ近くに、身体内に、厳としてあることも改めて想定し覚悟せねばならない。

5.3　転換点での判断〜現在世代ではなく未来世代を規準原点として

ポリュビオスは「時季(とき)が来れば、テュケーは再びその思うところを変えるだろうと」とも述べる。つまり大きな転換は未来にもまた何回も来るのである。

では我々はどのようにその未来の転換に際し対応し判断すべきであろうか。

現在の多くの社会では民主主義を「普遍的価値」としこれに拠って判断を下す。しかし、民主主義は未来世代と利益相反する可能性がある。なぜならば未生の未来世代は現在投票できないからである。ここにこそ民主主義の致命的欠陥がある。現代の多数決による民主主義的決定は、現在の正義や公正を未来世代に問答無用で拡張し負担を強いる可能性がある。現在世代はこの世界の特権的・最終的所有者でも活用者でもない。本来は未来世代こそが判断の主体であるべきなのである。

これを世代間倫理と言う。通常、倫理は世代内倫理で、同時代の人間間を律する行動規範で、共時的、双務的で、交換としての契約である。しかし我々が護るべきなのは世代間倫理[14]である。通時的で故に一方向的で見返りはなく片務的である。過去から現在へ渡されたから、現在から未来へ渡す贈与であるが、未来から現在への返礼はあり得ない。だが逆に、アメリカ先住民の「大地は子孫が貸してくれたもの」との哲学を踏まえ、野家啓一氏は現在世代が大地を未来世代から贈与されていると考えるべきで、それを保全し良好な状態で未来世代に渡すことは現代世代の返礼義務に他ならないと言う。

従来ステークホルダーとして個人・市民、民間企業、中央・地方行政府、国家、世界人類等が挙げられるが、未来世代こそが最重要ステークホルダーなのである。本来、転換に係わる現在の思考、決断、政策、そしてSDGsは未来世代を起点として決定されねばならない。それでこそ世界に持続可能性が生じる。

勿論、現在世代も幸福を追求すべきである。しかし、カントが「他者を手段としてのみならず、同時に目的として扱え」(『道徳形而上学原論』)と言うとき、現在世代の民主的合意による幸福の享受により未来の他者に我々のツケをまわしたら、未来の他者を「手段」として扱うことになる。我々は未来世代という他者を「目的」としても扱わねばならない。

その時々の現在世代ではなく、常に未来世代をこそ判断の規準として、それぞれの転換点において現在の意思決定をしなければならない。歴史学という方法で時間軸上に過去の様々な転換事象を追ってきた未来への結論である。

おわりに～革命そして公転という転換

revolutionは「革命」と「公転」のどちらをも意味する。一方は空前絶後の変革、革新、改革である転換であり、他方は太陽を中心とした例えば地球の回転で1年後には全く同じ位置に帰ってくる転換である。

現在のコロナ禍はたしかに空前絶後と言いたくなる「革命」的転換点ではある。しかしこのレベルの転換は人類史でこれまでも何回もあった。つまり「革命」も実は数多の「公転」の一つでしかない。所詮我々は自分の肉体とそれが生きている現在から離れることはできない。だからこそ個と現在を超えた視座で世界を観る歴史学が意義を持つ。

ただし、この「公転」も太陽と地球との相対的な二者関係においてでの認識であり、宇宙の絶対的な位置から観察すれば太陽と地球も互いに聯立しながらどこへともなく飛び続ける存在である。その意味で、人類史上の様々な、そして直近ではコロナ禍という「革命」的な転換点を載せて地球は「公転」して、しかし実は同じ位置に二度と戻ることはなく太陽と縺(もつ)れ合いながらそのまま宇宙のどこかの未来の転換点へと進んで行くのである。

註・参考文献

1）岡田英弘『世界史の誕生』ちくま文庫 1999、p.32.

2）詳細と関連図版は以下参照。青柳正規『人類文明の黎明と暮れ方』（興亡の世界史 00）講談社 2009; 芳賀満「古代1 原史美術・西アジア美術・エジプト美術」、秋山聰・田中正之監修『ライブラリー西洋美術史』美術出版社 2021; 芳賀満「メメント・モリの観点からのヒトの歴史～特に原初の「美術」からの試論～」、東北大学教養教育院編『生死を考える』（東北大学教養教育院叢書 大学と教養5）東北大学出版会 2022、pp.123-151.

3）アンドレ・ルロワ＝グーラン、蔵持不三也訳『世界の根源』ちくま学芸文庫 2019、pp.166f. (André Leroi-Gourhan, L*es Racines du monde*, Belford, Paris, 1982)

4）青銅器制作の開始は紀元前4千年紀中頃で330万年間の0.2%、さらに鉄器制作開始は紀元前15世紀でしかない。

5）Gen Suwa, et al., *The Early Acheulean. Konso, Ethiopia*, University of Tokyo, 2017, p.24.

6）しかし現在でもこの考えを持つ者がいまだにいる。筆者の視座は以下参考。芳賀満「生殖コストの公正化」『東北大学男女共同参画推進センター ニュースレター』20、2022.3.

7）*LIMC* Ⅷ, s.v. "Tyche-Tyche/Fortuna"

8）J.J.Pollitt, Art in the Hellenistic Age, Cambridge U.P., 1986,pp.1-4;P.Broucke, "Tyche and the Fortune of Cities in the Greek and Roman World" in S.Matheson（ed.）, *An Obsession with Fortune: Tyche in Greek and Roman Art*, Yale Univ., 1994, pp.34-63.

9）Plb.*H istories* 29.21.1-6.

10）芳賀満「ガンダーラの出家踰城図における女神テュケーの図像：そのタイプ分類とヘレニズム時代ギリシアの視座からの新解釈」『佛教藝術』333、2014.3、pp.11-36.

11）https://webarchive.unesco.org/web/20220331163755/http://www.unesco.org/new/en/communication-and-information/memory-of-the-world/register/full-list-of-registered-heritage/registered-heritage-page-1/benz-patent-of-1886#c214881（UNESCO HP, 2022.8.1閲覧）

12）Rockström et al., "A safe operating space for humanity", Nature 461（24）, 2009, pp.472-475.

13）佐藤弘夫「草木供養塔を前にして思うコロナウィルスは成仏できるのかと・・・」『月刊住職』2021.7、pp.112-117.

14）野家啓一『はざまの哲学』青土社2018、pp.311-313; M.Haga "Safeguarding and utilizing cultural assets" *ICOM Symposium*, Singapore,2018; M.Haga "Museums as hubs between generations or as an embodiment of Inter-Generational Ethics" *ICMAH Conference*, 2019; 芳賀満「これからの未来世代のための、これからの博物館・美術館あるいは文化活動－世代間倫理の重要性－」『山形県生涯学習センターだより』19、2020.7、pp.2-4.

第九章　レンブラントの賭け
――古典主義とヴァナキュラーの戦場としての《夜警》

尾崎　彰宏

はじめに

1642年のことです。レンブラントは、アムステルダムの火縄銃手組合の幹部をモデルにした集団肖像画を手がけました。彼の代表作《夜警》(図1) です。画家としてのキャリアの節目にともいえる時期に制作されたもので、これから述べていくように一時代の転換点を象徴的にあらわす作品となっています。

《夜警》の前に立つとまずあっと驚かされるのは、前景でひときわ際立つ隊長フランス・バニング・コックと副官ヴィレム・ファン・ライテンブルフの勇姿です。隊長の命令一下、隊はまさに出撃するところです。しかし、隊員のようすから、全員が一丸となって前進していくようには

図1

まったく見えません。隊はいささか混乱しているようにさえ見えます。ブレーキとアクセルを一緒に踏んでいるような印象を与えます。19世紀フランスの小説家で画家でもあったユジェーヌ・フロマンタンは、じかにこの絵の前に立った印象をこう書いています。

> 《夜警》はおよそ魅力のない絵だ——こう私が言ったとしても、どなたも驚かれはしないだろう。が、このような事態は、絵画芸術の傑作において類例がないことだ。《夜警》は見る者を驚かせ、困惑させ、圧倒する[1)]。

> 《夜警》は、レンブラントがどちらともつかぬ曖昧な状態でいるときに制作された。それゆえに、彼の思想が自由に発揮された作品でもなく、彼の手が健やかな状態の時の作品でもない。ひとことで言えば、真のレンブラントはここには存在しないのだ[2)]。

市民社会の勃興という時代の転換期に生きたフロマンタンは、1875年7月、オランダとベルギーの美術館を訪れ、両国の美術作品を数多く観察して『昔日の巨匠たち』を著しました。とくにオランダの画家たちのなかに自分たちの時代と重なるものを見ていました。フロマンタンは、レンブラントについても多くのページを割いていますが、称賛の対象であると同時に惑わせる存在でもありました。とりわけ、《夜警》は、理解しづらい、不可解な作品でした。フロマンタンによると、《夜警》が作品として分裂しているように見えるのは、職人レンブラントが夢想家になってしまい、素晴らしい成果を上げられなかったからだ、としています。レンブラントのなかに相反する、二人のレンブラント、つまり、思想家と職人のレンブラントがいるゆえんだというのです。フロマンタンは答えていませんが、レンブラントの中の二つの個性が分裂しているようにみえるとすれば、それはどのようなことなのでしょうか。私たちの目で《夜警》をもう一度じっくり見ていくことでなにがしかの答を見いだ

図2
① ザンドラルト《コルネリス・ビッケルの市民隊》1640年
② フリンク《火縄銃手組合の理事たち》1642年
③ ホーフェルト・フリンク《アルベルト・バスの市民隊》1645年
④ レンブラント《夜警》
⑤ ニコラース・エリアスゾーン（通称ピケノイ）《ヤン・ファン・フロースヴェイクの市民隊》1642年
⑥ バッケル《コルネリス・デ・フラーフ隊長の市民隊》1642年
⑦ ファン・デル・ヘルスト《ルロフ・ビッケル隊長の市民隊》1639年

図3　図1の細部

図4　ヴィレム・バイテヴェッフ《兵士と酒保》1616頃

していきましょう。

第一節　オランダの集団肖像画のなかの《夜警》

1640年から45年までに火縄銃手組合の分隊の集団肖像画6点と本部の理事たちの肖像1点の計7点が描かれ（図2)、組合の新ホール（1655年、アムステルダム新市庁舎の大ホールが完成するまで最大規模）に展示されることになりました。レンブラントの《夜警》もその一枚として制作されました。オランダの街を防衛する自警団として結成された射手組合が、16世紀後半になると弓から火縄銃に装備が近代化されたことから、射手組合も火縄銃手組合へと鞍替えされました。そして、スペインからの独立戦争に一区切りがつき、今度は同業者組合が社会生活のなかで指導的な役割をはたしていることを示すために集団肖像画の注文がなされました。当然のことながら、組合とその構成員の名誉の徴である肖像画は、当時、評判の画家に委ねられました。委嘱を受けた画家も一流の芸術家というお墨付きを与えられることになり、双方に利益がありました。

やがて火縄銃手組合の社会的役割が薄れてきますと、《夜警》にとんでもない災難が降りかかります。1715年のことです。《夜警》は、組合の

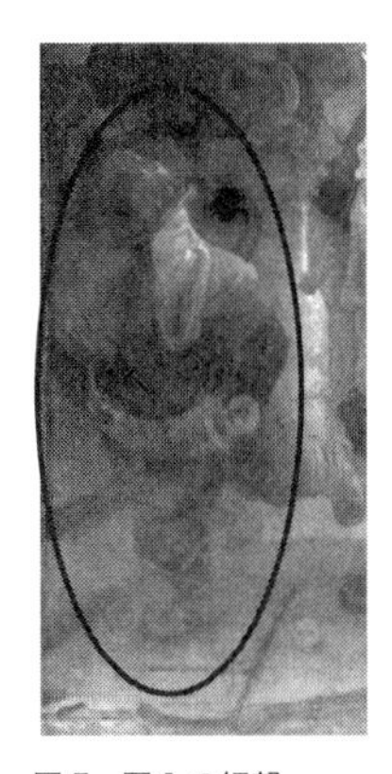

図５　図１の細部

図６　フェルディナント・ボル《ウェヌスと眠るマルス》1658 年
ブラウンシュヴァイク、ヘルツォーク・アントン・ウルリヒ美術館

ホールから市庁舎の小軍事会議室に移転されることになりました。今ではとても考えられないことですが、移転先の展示スペースが《夜警》には小さすぎたため、絵の四隅の一部が切断されてしまいました。しかし幸いなことに、ヘリット・ルンデンスによる忠実な模写（アムステルダム国立美術館）が遺されており、切断される以前の姿がわかります。《夜警》を眺めていますと、この絵が集団肖像画にしては奇妙な特徴をもっていることに気づきます。すでにふれた構図だけではありません。顔が見えないもの、後景でシルクハットと甲冑のあいだから目だけ覗かせている人物、腰に鶏を下げた少女（図 3)、兜で顔がすっかり隠れてしまっている子ども（図 5）など、一目見ただけでは、肖像とは到底思えないばかりか、どうみても組合員と無関係にみえる人たちが登場しています。それを見ただけでも《夜警》は、いわゆる集団肖像画の枠組みには収まりきらない特徴のあることは明らかです。実際、注文肖像画でありながら、そこに描かれている人物の半分以上が、実在しない架空の人物群なのです。それはやはり驚かされます。このような集団肖像は、レンブラント以外に誰も描いていません。注文肖像でありながら、そんな異例ともいえるものを描いて、依頼者からクレームがつかなかったのでしょうか。

レンブラントはときとして顧客とのあいだでトラブルを起こしています。集団肖像画ではありませんが、レンブラントが手がけたある肖像画の支払額をめぐって行き違いが生じたという証言が遺されています。問題となった作品は、アムステルダムの名士であったアドリアーン・デ・フラーフ（1611～78）の肖像画でした。ゆったりとしたポーズのフラーフが等身大で描かれた肖像画で、鑑賞者はごく自然体でフラーフと向きあえます。描かれたフラーフからは生命が感じられる肖像です。現在はカッセルの国立絵画館に飾られています。

この作品の何が問題で支払に問題が起こったのかは、よくわかっていませんが、この肖像画のスタイル、つまり粗描きで仕上げられているため、肖似性（モデルに似ているかどうか）ということからすると注文主の気に入らなかった可能性はあります。その当時、肖像画のできばえを決める基準として重要だったのは、肖似性だからです。結果的には、支払は、仲介者の取りなしで、500ギルダーがレンブラントに支払われることで決着がつきました。それを念頭におくと、オルレルスの記録も理解しやすいでしょう。1641年にレンブラントの伝記を著したオルレルスは、レンブラントの作品はアムステルダムでも大いに人気がありましたものの、肖像画はそれほどでもなかった趣旨のことを書きそえています[3)]。ですから、このフラーフの肖像画の一件を思い浮かべますと、夜警について肖像のモデルになった人たちから、いくつものクレームがあったとしても、けっしておかしくはありません。

《夜警》についてのもっとも古い記録は、絵が描かれて10年以上経った1653年2月のことで、そこには、火縄銃手組合本部上階に展示された7点の集団肖像画について書かれています。そのなかで《夜警》は、「1642年、レンブラント作フランス・バニング・コック隊長と副官ヴィレム・ファン・ライデンブルフ」とあります。ほぼ同時期に、隊長バニング・コックの家族アルバムに、《夜警》を模写した素描が収められています。そこには《夜警》の制作者は記されていませんが、こう説明書きが添えられています。

火縄銃手組合本部大広間の絵画素描、隊長の若きパーマランド領主が、副官ブラーディンゲン領主に市民隊の出撃を命令している。

隊長バニング・コックの勇姿を家族アルバムに遺していることは、《夜警》が隊長にもたいへん気にいられていたことの証です。

画面の中心を占めた隊長に不満がなかったとしても、描かれた大きさや位置にはばらつきがあり、その他の隊員はどのような感想をもっていたのでしょうか。残念ながら、評価にかかわる直接の証言は伝えられていません。この種の集団肖像画にかかる費用は公費で賄われるものではなく、そこに描かれた人たちが自前で負担しました。各自が支払った金額については、1659年、興味深い証言があります。それは、《夜警》に描かれた2人が語ったものです。それによると、描かれた隊員16名が、それぞれ100ギルダーずつ支払ったということです（可能性として、隊長と副官は200ギルダーずつ払った可能性がある）。ちなみに、当時の1ギルダーは、現在の200ユーロ、約2万8000円に相当するということです[4)]。ちなみに、ひとり100ギルダーというのは、この種の集団肖像画では決して低い金額ではありませんでした。いやむしろ相場以上であったかもしれません。ちなみに、アムステルダムで人気の肖像画家トーマス・デ・ケイゼルの《隊長アラールト・クルックの市民隊》（アムステルダム国立美術館）では、一人あたりの負担額は61フロリン（ギルダー）であったからです[5)]。

これまでの集団肖像画を見渡してみますと、レンブラント以外の作品では、一人ひとりの肖像の大きさは、ほとんど同じであり、画面に占める割合に差がなかったことに気づきます。ところが驚くことには、《夜警》ではそうなっていないのです。各自の肖像が画面に占める割合や画面上の位置と関係なく、メンバーが絵の代金を均等に支払っています。その事実は、《夜警》が個人肖像画のたんなる寄せ集めではなく、1枚の絵に描かれることに意義があることにみんなが納得していたからでしょう。つまり、《夜警》には火縄銃手組合員たちが共有する、なんらかの理念が表現されていたからに違いありません。それがどのようなものであったのか、残念ながら、文字資料から確かめることはできません。むしろ《夜警》をじっくり鑑賞することから浮かびあがってくるのかもしれません。私たちも、この肖像画にあらわれている絵画的な特徴から、それを探りあてることにしましょう。

第二節 《夜警》と同時代の評価

組合ホールで他の肖像画と一緒に《夜警》が展示されたのをじかに目にした人のなかに、ベルンハルト・ケイル（1624 ～ 87）とサミュエル・ファン・ホーホストラーテン（1627 ～ 78）がいました。デンマーク出身の画家でレンブラントの弟子となり、のちにイタリアに渡り版画家で美術批評家であったバルディヌッチにこの絵のことを語っています。それが 1686 年に書かれたバルディヌッチによる「レンブラント伝」の情報源でした。そこでは、「レンブラントはこの絵のおかげでこれまでこの分野では、一頭地を抜くような名声を獲得した」と手放しで称賛しています。

一方、やはりレンブラントの弟子で、《夜警》が制作されていたころ、工房に籍を置いていたファン・ホーホストラーテンは、称賛といくぶんかのとまどいの入り交じった評言を遺しています。彼は画家であっただけでなく、美術理論家でもあり、1668 年に『絵画アカデミーへの手引』を刊行しています。

その「配列と秩序」（schikken en ordineren）を扱ったくだりで、次のように述べています。

> ここオランダでは市民隊本部の大広間でよく目にするように、肖像画を扱う画家たちが、モデルを横一列に並べて描いているが、そのやり方は、まったく満足いくものではない。本物の画家であるなら作品全体に統一性をあたえる。……レンブラントはアムステルダムの市民隊本部に飾られた集団肖像画でそれをうまくやっている。しか

し絵を見た多くのものが感じるのは、彼はそれをちょっとやり過ぎているのではないか、ということだ。そのため、注文肖像というよりも、彼が目論んだ構想のほうが際立っている[6]。

ファン・ホーホストラーテンは、《夜警》が、オランダで一般的な集団肖像画ではなく、肖像というジャンルの垣根を越えた構想画、つまり一種の歴史画であることに気づいていました。それは注目に値するといえます。そして彼はこう続けます。

〔レンブラントの《夜警》は、〕欠点があるにせよ、次のような点で競争者すべてにまさっている。絵画的な創意に満ち、空間のつくりでも卓越していて、まことに力強い。そのため他の作品を《夜警》の横に並べてみると、まるでトランプカードのようにみえる。ないものねだりだが、もう少し絵に光がほしかった[7]。

《夜警》は集団肖像というジャンルの垣根を越えた作品となっているために、創意を発揮した作品となっていることをファン・ホーホストラーテンは認めています。それは、先にふれたように《夜警》に挿入されたさまざまなモチーフに見ることができます。出撃していく市民隊がくぐる凱旋門をおもわせるアーチ型の門、画面の中心部に近いところで鶏をぶら下げる少女、彼女は強い光を受け隊長や副官ともくらべられるくらい見るものの注意をひきつけます。隊長の肩越しに甲冑を着けた兵士、その肩口に眼だけ覗かせている人物、身の丈にあわない大きな兜をかぶる小人など、異質な登場人物たちは、集団肖像画を見ている鑑賞者を驚かせます。

第三節　《夜警》とパロディ

実在する人物の肖像とは到底思われない人物像には、どのようなはたらきがあったのでしょうか。まず、《夜警》の中で肖像をべつにしてとりわけ異彩を放っているのは、腰に鶏を下げる少女です。顔の特徴からレンブラントの妻サスキアをモデルにしているようにもみえますが、だからといってここにサスキアが登場している積極的な意味はみいだせません。たしかに、サスキアはレンブラントの歴史画の中にしばしば登場しています。しかし大半の場合、モデルを身近から採用したのが最大の理由だったのでしょう。

もちろんそうした事情が働かなかったとはいえません。近年の研究によれば、この少女は、従軍する兵士たちに食糧を供給する酒保であるという説がだされています。さらに、少々目立つように描かれている雄鶏の脚は、火縄銃手組合のシンボルをあらわしていて、一朝事が起これば、戦地へと出撃する勇猛果敢な部隊としての火縄銃手たちを暗示しています。

しかし、そうだとしても酒保の少女がこれほど重要な位置に描かれる必要はあったのでしょうか。しかも強烈なスポットライトがあたっていますから、鑑賞者の注意は当然この少女に向けられます。隊長と副官以外は肖像画としての存在がぼやけてしまいます。そう考えますと、もう少し別の役割があったのではないでしょうか。そもそも絵に酒保のような存在を描きこめば、市を警護する英雄たちを顕彰する絵画が、まるで風俗画になってしまい、隊員を称揚するという主旨を逸脱していると誤解される怖れがあります。それにもかかわらず、絵のモデルになった組合員が、絵にとりたてて不満をいだいていたという記録は遺されていませんから、彼らにとってはそうした細部は気にならなかったのかもしれません。

《夜警》がまるで風俗画のように見えるのは、オランダの上流市民階級が好んだ古典主義的な美意識からすれば、ふさわしくないものでした。しかし、スペインの支配を脱し、自立した国家となろうとしたオランダには、古典主義とはことなった、新しい美意識が発展しつつありました。それが風俗画だったのです。古典主義は、歴史の始まりを理想として、その規範をいかに自分たちの時代に生かすかを追究していました。

それに対して、自分たちが活動する現代こそ素晴らしい、という価値観とそこに由来する美意識から生まれたのが風俗画でした。ですから、《夜警》が風俗画的な要素を持ち合わせていることには理由があったのです。言葉を換えていえば、《夜警》にこめられていたもっと大きな考えに共感していたからではないでしょうか。ここでいう風俗画的な特徴とはどういうことなのか、パロディということを手がかりにして考えてみましょう。

少女の右手前には、銃に弾薬を装填する兵士、また左手前には歩きながら銃を発射する兵士が配置され、一触即発の緊張感の昂まる場所に、それとは対照的に、柔和な表情を浮かべた少女が座っています。このコントラストには戦闘的な場面を相対化する効果があります。もちろん、単純な相対化ではなく、戦闘という行為自体を無力化するものです。状況をパロディ化しているということができます。しかしパロディというと、高尚なものを俗悪なレベルにまで引き下げて笑いの対象とする、といったことのように思われがちです。しかしそれはパロディの一側面にすぎません。パロディ論の古典的な書物である『パロディの理論』を著したリンダ・ハッチオンによれば、パロディは「過去の作品を再評価し、新しい時代に落ちつかせるという批評の一行為」といっています[8)]。つまり、パロディとは、ロマン主義の幻想であるところの自立した天才的独創性ではなく、他の作品を利用しながら、オリジナルがもっていた文脈を転倒させ、新たな地平を出現させることといっても差し支えないでしょう[9)]。

若い女性の酒保をこの場に配置することで、市民隊の出動というセレモニーが、風俗画的な日常世界の一場面のようになってしまいます。兵士に従軍する酒保のイメージは、17 世紀前半にハールレムで活躍した版画家ヴィレム・ヴァイテベッフの版画（図 4）などが参考になります。

パロディはレンブラントの十八番でした。そのなかですぐに思いだされる好個の作品は、《ガニュメデスの誘拐》（図 7 ）です。『レンブラントとイタリア・ルネサンス』のなかで、ケネス・クラークが反古典主義の典

図7

図8

型的な作例とした絵画です。この主題は、伝統的に「ダナエ」とか「レダ」など色好みのゼウスをあつかった愛の遍歴をあらわした主題と関連しています。ガニュメデスは男性ですが、それはゼウスの恋する相手は女性にとどまらず、うら若い青年にも恋するものとして取りあげられてきました。ゼウスはガニュメデスを誘拐して自身の酌係としてそばに置こうと考えていたのです。ところがレンブラントに描かれたガニュメデスは、青年ではなく幼児です。しかも、鷲に誘拐された恐怖からおしっこを漏らしています。クラークにいわせれば、この表現は、古典世界に対する、レンブラントの強烈なアンチテーゼです。この幼児のガニュメデスは、レンブラントの《泣き叫ぶ幼児》（図8）という素描にもとづくもので、レンブラントは古典世界の物語を自分の身近な情景と重ねあわせることで、定型的な「ガニュメデス」観を転倒させたのです。神話の成熟した世界というイメージを未熟な世界というようにです。つまり、永遠の生命を得ることになるガニュメデスをパロディ化して哀れな小便小僧に変えてしまったわけです。

つづけて《夜警》を見ていくとさらに奇妙な人物がいることに気づきます。影に蔽われているため、うっかりしていると見過ごしてしまいますが、火縄銃に装填する人物の右手で、大きな兜を被る小人がいます。

図9

図10

ちょっとおどけたような格好でその火縄銃を見上げています。この人物も酒保と同様、物売りの類でしょうが、こうした人物が登場するのはやはりカーニバルなどの祝祭でしょう。大きな兜を被るというモチーフ（図5）は、レンブラントの弟子であったフェルディナント・ボルの《ウェヌスと眠るマルス》（図6）にもみられます。絵の左端にいるクピドがそれにあたります。軍神マルスが眠ることは、休戦状態で平和を暗示するわけです。

また、しばしば指摘されてきたライフル銃を準備したり、構えたり、あるいはあろうことかあのような混みあった空間で実際銃を発射したり、実際に起こったとすれば、かなり危険な行為になるでしょう。そこで出された意見は、当時描かれた銃の扱い方を図示した挿絵からレンブラントがヒントを得て挿入したのではないかというものです。それは充分にあり得ると思います。ライフル銃を構えるポーズは、ファン・デル・ヘルストの《ルロフ隊長の市民隊》（アムステルダム国立美術館）にも中央部分に見られます。そこでは、この銃を構え発砲するモチーフは、火縄銃手組合ということを誇示していると同時に祝祭ムードを盛り上げる働きをしています。ライフル銃が火を噴くけたたましい発砲音は、賑やかな祝宴をいやがうえにも盛り上げることでしょう。

図11

図12

それに対して《夜警》では、挿図にもとづいて、銃に装填して発砲までを描きこんでいるだけでなく、絵からはいささか場違いなほどの緊迫感が伝わってきます。絵のなかにはそうした不協和音だけではなく、輻輳した時間が表現され、重なりあいながら隊長と副官のところへと流れます。市民隊の行進は薄暗い背景に浮かび上がる半円形のドームを背にしています。そして分隊はドームを抜け3段の階段を降りてこちらへ行進してきます。この背景をなすドーム型の建築は、1638年にアムステルダムを訪れたマリー・ド・メディシスを記念する入市門[10)]を想起させます。しかし、ド・メディシスと関係があった市民隊はバニング・コックの方ではなく、後に触れることになりますヨアヒム・フォン・ザンドラルト（1606～88）の《コルネリス・ピッケルの市民隊》（図9）の方です。

このモニュメンタルな構造は、レンブラントの空想の産物ではなく、すでに指摘されているように、ラファエッロの《アテネの学堂》が下敷きになっているのでしょう。ローマに行ったことはないレンブラントがそれをじかに見ることはありませんでしたが、16世紀後半のマントヴァ出身の版画家ジョルジョ・ギージのエングレーヴィングを通して知っていたのでしょう。ギージの版画はオランダではよく知られていたようで、デルフト出身の画家ピーテル・デ・ホーホの《広間での音楽パーティ》（ライプツィヒ造形美術館）の背景のリュネット部分に描かれた画中画として、《アテネの学堂》の版画（図10）がつかわれています[11)]。

ラファエッロの《アテネの学堂》をじかに見ることはありませんでしたが、レンブラントは少なくともラファエッロの傑作を見ています。《夜警》を描く少し前の1639年、アムステルダムで開催された、ある評判のオークションでラファエッロの《カスティリオーネの肖像》をスケッチする機会がありました（図11、12)。この有名な肖像は、現在はパリのルーヴル美術館にありますが、1515年、ローマで制作されたものです。一時スペインに持ち出されたことがありますが、長くマントヴァに置かれていて、ルーベンスもその地を訪れた折りに模写しています。南部ネーデルラントの画家ということもあって、敬愛すると同時に激しいライヴァル意識を燃やしていたルーベンスも模写していたこともあり、レンブラントとしては、できれば購入したかったのでしょうが、高額であったため、それはかなわなかったのでしょう。描いた素描に売値3500ギルダーとこの売立の総額59,456ギルダーと書きとめて、いかにラファエッロの肖像が売立の目玉であったかを印象づけています。

レンブラントとラファエッロの作品を並べてみましょう。そうするとレンブラントがラファエッロを下敷きにしていることはわかりますが、レンブラントの素描だけ単独でみせられますと、はたしてすぐにラファエッロを思い出せるかどうかはいささか疑わしい気がします。じつはそれくらい両者の作品は違った印象を与えます。その落差は、原画に忠実なルーベンスの場合とくらべてみるとよくわかります。レンブラントの場合は、《カスティリオーネの肖像》を模写したというより、カスティリオーネの肖像をまるで自分の自画像に変えてしまったような印象を与えます。ラファエッロから霊感を受けて、そこにレンブラントが強く意識していたルーベンスの自画像（レンブラントが見たのはポンティウスによって起こされた版画）の記憶を重ねて、スケッチにした、ということができます。レンブラントの模写はもはやラファエッロの写しなどではなく、自身の作品の域に達していたのです。その結果、レンブラントがたどりつくのが、《宮廷人に扮した自画像》(ロンドン、ナショナル・ギャラリー) でした。

これと同じことが、《夜警》の場合にもいえます。『オランダ集団肖像画』を著したアロイス・リーグルが、レンブラントの集団肖像画の特徴として「従属関係」(Subordination) を絵の中に持ちこんだことだと観察しています[12]。つまり、オランダで習慣的に集団肖像画は、何か統一的な原理でまとめ上げられているというより、そこに並んでいるという印象を与えるのに対して、レンブラントでは、中心人物の周囲にしっかりと人びとが配置され、物語が展開するように構成されています。そして、こうした構成法をレンブラントはイタリア絵画から学んだというものです。

しかし《夜警》の場合、レンブラントはラファエッロの《アテネの学堂》をそれほど忠実に反映させているわけではありません。一見しますと、ラファエッロ風の広壮な建築空間が暗示され、市民隊の行進が歴史的な出来事であるように描かれています。しかしすでに指摘したとおり、モニュメンタルで荘厳な儀式を茶化すようなモチーフが画面にもちこまれています。絵画は構築的で、隊長と副官のゾーンに見る者の注意をひきつけると同時に、分隊の面々は、アムステルダムの英雄と単純には見なせないように描かれています。英雄とは無関係な要素が混入されています。それによって遠心力が働き、絵としてわかりにくくなっています。ですから、ラファエッロが導入した、典型的な一点集中型の構成を解体し、そうすることで作品を創りだそうとしているわけです。この態度は、絵のサイズこそ違いますが、レンブラントの取組は《カスティリオーネの肖像》に向かったときと同じです。ハリー・バーガー・ジュニア的な見方をすれば、挑戦的にパロディ化しているわけです[13]。

パロディ化によって、《夜警》で利用されている発想源を転倒させ、芸術的な挑戦を市民隊の集団肖像というオフィシャルの場でおこなったわけです。それは、価値観を多様化させる面があったはずです。べつのいいかたをすればパラドックスでもある、そうした価値観の転倒の理由は、射手組合のホールに設置された作品の配置と関係がありました。近年のデュードック・ファン・ヘールの研究で明らかになったように、ザンドラルトの《コルネリス・ビッケルの市民隊》（図2の①）はもともとは別の部屋のために制作されたものを新ホールのために移転されました。そしてもともと横長だった画面が現在のように縦長に変更されました[14]。

ザンドラルトの作品が描かれたのは1640年。新しい組合ホールに展示された集団肖像画のなかでは最初に制作されたものです。アムステルダムダム大学名誉教授のエリック・ヤン・スライテルが、『レンブラントのライヴァルたち』（2015年）のなかで指摘していますが、新ホールの市民隊の作品群は各自が独自性を主張するかたちで描かれました[15]。また、大著『レンブラントの目』のサイモン・シャーマも適確な観察をしているように、絵の背景は古典主義的な建築物で占められ、全員、マリー・ド・メディシスの胸像の周囲に集められています。この像には当代随一の詩人フォンデルの詩文が書かれた紙が添えられています。1638年にアムステルダムを訪れたマリー・ド・メディシスを顕彰するものであり、肖像画の優美さはザンドラルトの芸術の理想であった古典主義を称えるものでもあります。この古典主義的な作風はレンブラントと対照的です。そのため、《夜警》が「芸術的な規範」を逸脱し、絵に秩序の欠けたカオスのような作品として鑑賞者の目には映ったかもしれません[16]。

レンブラントの《夜警》とザンドラルトの《ビッケル》は、配置図を見るとすぐにわかるように、斜め前方に位置しています。《夜警》の市民隊が進行する方向に望むことができる位置関係になっています。つまり、先に完成していたザンドラルトと対峙するようになっています。この配置を実際、ザンドラルトが目にすることができたなら、彼はどのような感想を持ったのか知りたい気持ちが募りますが、残念ながら、ホールが完成して市民隊の絵画が一堂に展示されたときにはアムステルダムを去っていました。

フランクフルト出身のザンドラルトは、イタリアで色彩と素描を習得し、古典学にも精通した知識人でもありました。1637年にアムステルダムにやって来てすぐにアムステルダムの詩人、文学者の知己をえて古典

図13

図14

の学識と芸術の才能から一躍寵児ともてはやされる存在になっていました。1645年にアムステルダムを去るときには、オランダ最大の詩人フォンデルは、「新しきアペレス」がアムステルダムの地を去ることを嘆く詩を書いています。しかし、ザンドラルトはアムステルダムの画家たちとの交流はあまりなく、むしろ、彼らをローカルな存在として馬鹿にしていた節があります。後年ザンドラルトが著した『ドイツ・アカデミー』（1675年）には、彼の芸術観が凝縮されています。一口で言えばその理論は前世紀、つまり16世紀の美術理論にもとづくもので、きわめて保守的な色合いをおびています。ザンドラルトにとって芸術家がなし遂げるべきことは法則に則り、堅牢で確実な自然らしさを表現することであり、そのためには、当然のことながらアカデミーで学ぶことが必須のことでした。そして、詩人のジグムント・フォン・ビルケン（1626～81）によって書かれた、ザンドラルトの「自伝」ともいえるLebenslaufのなかでは、ファン・マンデルやファン・ホーホストラーテンもくり返すような、作品制作の考え方、つまり、蜜蜂のように様々な花から蜜をとりだし、それを混ぜあわせることで自分の蜜をこしらえる、という方法を理想としました。このようにして優美な作品を創りだすという考え方はフリンクやボルといったレンブラントの有能な弟子たちと共鳴するところとなり、レンブラントのもとを去って行きました。彼らにとっては、ルーベンス（1577 ～ 1640）やファン・ダイク（1599 ～ 1641）の方が時代の潮流であり、進むべき手本となり得たのでしょう[17)]。

古典主義の流行はますます盛んになり、アムステルダムの上流階級や美術愛好家の心をとらえていくことになります。そうした潮流と真っ向から対立するのが、レンブラントの美学でした。彼はいろいろな作品から部分をとりだし、組みあわせによって乗り切るというのはなく、作品を研究してそれを換骨奪胎して、自らのかたちに変え、自らの色に染めあげることでまったく新しいかたちに仕上げたのです。そうしたレンブラントの危機感と反感をレンブラントが抱いていたことを示すのが、有名な素描《芸術批評に対する皮肉》（図 13）であったのでしょう。

ロバの耳を付けた無知な美術愛好家がしたり顔で絵を評価するのを、アペレスの故事よろしく、その陰でその評言を聞き、本を破って尻を拭いている画家がいる。レンブラント自身かもしれません。かつてエルンスト・ファン・デ・ヴェーテリングは、破られた書物は、1641 年にオランダ語版が刊行されたフランシスクス・ユニウス（1591 ～ 1677）の『古典絵画論』だと指摘しています。そのあたりはよくわかりませんが、いずれにしても自分こそが当代のアペレスだと自負するレンブラントからすれば、その頃の古典主義の勃興はまったくそりの合わないものであったのでしょう。

糞をする人物に自画像を重ねているわけですが、実は《夜警》にも同じような特徴が見られます。それは中央奥で兜を被る兵士の肩口から顔をのぞかせている人影を確認できます。この男は帽子をかぶり右目だけ覗かせやや斜め方向を見ています。この人物は何ものか？　もちろん《夜警》を注文した人物ではありません。目だけを描くというのは、見方をかえれば、その部分だけをクローズアップしているわけで、レンブラントの自画像をおもわせます。たとえば、《夜警》が描かれたころに近い《樹木とベルベット帽の自画像上部》（図 14）などでは右目だけをはっきりと描いています。晩年に手がけた《クラウディウス・キウィリスの謀議》であえて片目をはっきりと描くレンブラントに通じるものがあり、そこにも均整を重んじる、古典主義的な美に対する挑戦が見え隠れしています。そうしたなかで、レンブラントが自らの芸術の正統性を主張する手段として、パロディやパラドックスが利用されたのでしょう。

おわりに

17世紀のオランダ絵画には、パロディやパラドックスが表現されている作品にしばしば遭遇します。これはオランダではエラスムスの名前をすぐ思いだしますし、この時代、ラブレー、シェイクスピア、セルバンテスなど偉大な作家たちが上げられます。《芸術批評に対する皮肉》の素描でふれたように、レンブラントもやはりそうしたパロディの伝統と深くかかわっていました。レンブラントは、《夜警》という公的な集団肖像画においてもパロディの手法を用いたのでしょうか。一つには、レンブラントの芸術的な野心があったのでしょう。レンブラントは常に独自の作品を制作することで、他の画家たちとの違いをだしてきました。つまり、美術市場が活性化するようになり、作品の見方は制作者と見るものとがそれぞれ権利を有するようになってきました。そうしたなかで作品の価値は、芸術家独自の表現というかたちで注目されるようになっていたのです。それは称賛ばかりでなく、批判を受けること自体も、作品に関心を集めることで一つの価値とみなされる空気が生まれてきたのです。作品にオリジナリティをもたせることが眼識のある注文主の美意識を満足させることになったのです。

しかし《夜警》には、そうした小さな範囲での美意識を満足させるだけではなく、もう少し別の意図もあったのではないでしょうか。そのために《夜警》には型にはまった集団肖像であることをやめ、ラファエッロ張りのモニュメンタルな舞台が準備され、隊長と副官にスポットがあてられ、そこに登場する火縄銃手組合員すべての英雄的な活躍が演出されるような仕掛けがなされています。それだけで終わっていれば、オランダの独立がなされていくなかでの市民隊の存在を称揚するものでしかなかったでしょう。ところがレンブラントは、この英雄的な行為を崩すような要素を入れることで、絵のパロディ化を同時におこなっています。レンブラントが激しく批判したザンドラルトの作品とは対照的に、マリー・ド・メディシスのアムステルダム入市に象徴されるフランスの古典主義に背を向け、アムステルダムの栄光を強く意識させようとしているのです。古典対ヴァナキュラー（土着性）との対立を明確に示すことで、古典主義に呑みこまれることでかつての斬新な精神を失いつつあるアムステルダムに対するささやかな抵抗であると同時に、レンブラント自身の立ち位置をはっきり表明したのです。レンブラントのこの姿勢は、晩年、アムステルダム市から受注した《クラウディウス・キウィリスの謀議》（ストックホルム国立近代美術館）にまで貫かれていました[18]。

オランダがヨーロッパ列強のなかで唯一の市民国家として認知されたウェストファリア条約（1648年）は、ヨーロッパの大きな転換点にあたり、その締結に向けた機運のなかで、オランダらしさを主張するのはフランス流の古典主義ではなく、ヴァナキュラーな芸術こそがそれにふさわしいとする主張が《夜警》のパロディ表現の意味でした。パロディ表現の極みともいえるのは、市民隊の中央後景で目だけ覗かせているレンブラント自身の姿をそっと描きこんだことです。《夜警》こそは、レンブラントがアムステルダムを守護した市民隊への称賛であると同時に隊長バニング・コックの指揮の下、未来を指し示す「希望」でもあったのでした。

註

1）フロマンタン『オランダ・ベルギー絵画紀行　昔日の巨匠たち』（下）岩波文庫 1992年、p. 118.
2）上掲書、p. 161.
3）Paul Crenshaw, *Rembrandt's Bankruptcy: The Artist, His Patrons, and the Art Market in Seventeenth-Century Netherlands*, Cambridge 2006, pp. 11-113.
4）Jonathan Bikker, *Rembrandt Biography of a Rebel*, Amsterdam 2019, pp. 16-17.
5）E. Haverkamp-Begemann, Rembrandt: *The Nightwatch*, Princeton/New Jersey 1982, p.11.
6）Samuel van Hoogstraeten, *Inleyding tot de hooge schoole der schilderkonst: Anders de Zichtbaere*

Werelt 1678, p.17. Idem, (Celeste Brusati ed., aap Jacob trans.), *Introduction to the Academy of Painting; or, The Visible World*, Los Angeles 2021, pp. 219-20.

7) *Loc. cit.*

8) リンダ・ハッチオン『パロディの理論』(辻麻子訳) 未来社　1993年　第1章。

9) Cf. 尾崎彰宏『静物画のスペクタクル』三元社　2021年、プロローグ、特に pp.21-22. 山口昌男『道化の民族学』ちくま学芸文庫　1993年。

10) E. Haverkamp-Begemann, *op. cit.*, fig. 68.

11) Exh. Cat., Peter C. Sutton, Pieter de Hooch 1629-1684, New Haven/London 1998, Cat. 33.

12) アロイス・リーグル『オランダ集団肖像画』(勝國興訳) 中央公論美術出版　2007年、p. 239。

13) Harry Berger Jr., *Fictions of the Pose: Rembrandt against the Italian Renaissance*, Stanford/California 2000. pp.　本書には深谷訓子氏による優れた書評がある。『西洋美術研究』5号 (2001年) pp. 178-184. また、バーガーは《夜警》にもパロディ的な要素があると述べている。*Idem., Manhood, Marriage, Mischief: Rembrandt 's 'Night Watch' and Other Dutch Group Portraits,* New York 2007, pp. 177-207.'

14) S. A. C. Dudok van Heel, The Night Watch and Entry of Marie de' Medici: A New Interpretation of the Original Place and Significance of the Painting, *The Rijksmuseum Bulletin* Vol. 57 (2009), pp. 5-38.

15) Eric Jan Sluijter, *Rembrandt's Rivals: History Painting in Amsterdam 1630-1650*, Amsterdam 2015, pp. 90-96。

16) サイモン・シャーマ『レンブラントの目』(高山宏訳) 中央公論美術出版、2009年、pp. 502-03。

17) Sluijter, op.cit. Christian Klemm, *Joachim von Sandrart: Kunst-Werke u. Lebens-Lauf*, Berlin 1986.

18) 尾崎彰宏「逆説の画家レンブラント――《クラウディウス・キウィリスの謀議》をめぐって」『ネーデルラント美術の光輝：ロベール・カンパンから、レンブラント、そしてヘリット・ダウへ』ありな書房　2017年、pp. 137-174.

本稿は2022年3月20日第1回オランダ美術研究会での口頭発表 (オンライン) に基づく。

おわりに──転換期を生きる新しい道徳をたずねて

尾崎　彰宏

うちには「のぶりん」（以後、のぶ）と「たまりん」という二匹の猫がいます。保護した時期は違いますが、二匹とも東北大学構内で出会った猫です。最初に知り合ったのは、のぶのほうでした。2017 年の 6 月下旬から 11 月初旬まで毎日、朝夕食事を運んで、ようやくのおもいで連れてきた猫です。そんなふうに書くと人はさぞかし私が大の猫好きだとおもわれるかもしれません。しかし、のぶに出会うまで猫にはさして親近感をもつことはありませんでした。どちらかというと苦手でした。子どものころ母の実家にいた黒猫に引っかかれ、それがトラウマのようになっていて、猫は爪を立てるものという固定観念ができてしまっていたからです。

それがどうしたわけか、はじめて黒っぽい毛色のキジトラに出会ってから、一目でこの子に魅せられてしまいました。縁とは奇なるものです。のぶはおもしろい猫で、知り合って 1 ヶ月もするとすっかり懐いてくれ、朝夕かならず同じ時間にどこからともなく姿をあらわしました。そして、自分の縄張りはこんなところだとか、水飲み場はどこそこだと案内してくれたり、小鳥を狩るときはこんなふうにやるのだというのを披露してくれたりしました。いろいろな鳴き声で何やら訴えてもきてくれ、以心伝心といいましょうか、大まかなことは得心できたように思えました。猫との時間のなかで、私にはどうして人だけが特権的な地位を与えられこの世界の中を闊歩しているのか、とてつもなく不思議に思えるようになりました。

私たちは知らぬうちに、人間を中心に考えることにすっかり慣れてしまっているのです。今告白したような疑問は誰しも一度はどこかでいだく疑問かもしれませんが、生活のなかで心の奥にしまってしまう問いでもあります。まわりをみわたせば世界はまるで人間のためにあるかのように見えるからです。経済や政治にまつわる話題は人間中心ですし、環境について語られるときでも、よく聞いてみると人間のためであることが多いものです。大学で考える人文学なども人間のことに焦点をあてています。古い言い方になりますが「真・善・美」という方向から究めていく学問領域のことで、人間について知ることが最優先になっています。人文学に限らず、社会科学でも事情はそれほど大きく違っていないように思います。そして社会全体がそれをあたりまえのことと認めているわけです。ですから、猫の殺処分に心を痛め、それをなくす運動を熱心に進めている人がいるとはいえ、人間の「貧困問題」と同等に議論されることは一度もありませんでしたし、これからもないかもしれません。あるいは猫に限らず、一羽の鶏がインフルエンザにかかれば、その周辺も含めて何十万羽もの鶏が殺処分されてしまうことが理不尽だと感じる人がいても、トップニュースで動物の生存権の問題が「人権」と同等に扱われることはありません。

そもそもこうした家畜の大規模な殺処分が始まったのは、2000年からだといわれています。そんなに昔のことではないのです。始まりは、狂牛病による牛の大量殺処分からでした。伝染病を根絶する対策として発案された手法ですが、一頭あるいは一羽から症状が確認されますと、その周辺一帯まで何百頭、何十万羽もの動物が感染を防止するという名目で殺処分される。一時的な安全は担保されるにせよ、動物の命をあまりにも軽視する処置ではないでしょうか。ちなみに、コロナウィルスを撲滅するという名目で、同じことを人間に適用しようなどとは誰も考えないでしょう。あのナチスの絶滅収容所での数百万人もの虐殺は、それを地でおこなった結果です。しかし、ナチをとてつもない、生命の尊厳に対する犯罪だと糾弾する気持ちを、どうして動物の殺処分には向ける度合いが限りなく小さいのでしょうか。私にはそれもまた「異常」なことに思われます。

ではなぜ、人間の環境を保全するという理由から、動物に対してだけそうしたことが許されるのでしょうか？　つまり、動物の命と人間の命には、格差があるので、上位を守るためには下位を犠牲にすることは許容されるという考え方はどこに起源があるのか、しばしば考えを巡らせてきました。

ハンガリー人で古典学の泰斗カール・ケレーニイに、名著として名高い『ディオニューソス――破壊されざる生の根源像』（岡田素之訳　白水社　1999年［名著復刻］）があります。その序章「ギリシア語にみられる有限の生と無限の生」のなかでケレーニイは、人間の生と動物の生はギリシアの初期段階で区別がなかったが、やがて区別が生まれ、人間の生はビオス、それ以外の生はゾーエーとして識別されるようになった、といいます。そしてビオスだけが「独自の死によって生を終える」、すなわち一個のかけがえのない生を持つ存在という特権的な地位が与えられるようになり、ゾーエーは集合的な生といえるもので、なんら特徴のないがゆえに価値のないものと理解されるようになってしまった、というのです。

このようにして特権的な地位が人間に与えられ、この人間もまた、知性を感情よりも上位に置き男性優位の構造が確立されていきます。しかし、人間の生と動物の生に絶対的な区別を設け、命に序列をつけるという思想そのものに強い違和感が残ります。「気候変動対策」「生態系の破戒の阻止」など、世界のかかえる喫緊の課題と向きあうとき、近代社会を支えてきた考え方に対する、根本的な転換が必要ではないかと深く考えさせられます。

仏教に「一切衆生悉有仏性」（いっさいしゅじょうしつうぶっしょう）という人口に膾炙することばがあります。広義に解釈したり狭義に解釈したりで、多少意味の拡がりがあるようですが、私は、およそ生あるものにはすべて霊があるというぐあいに最大限に広くとって考えています。動物であれ、植物であれ、人であれ、生あるものは、命の前ではひとしく尊い存在なのだという前提に立った人間の生き方を摸索すべきではないでしょうか。つまり、現代の人間に求められているのは、そうした時代にふさわしい道徳の再構築なのです。
「転換期」に生きるとは、これまでの「常識」を疑い、新しい生き方を実践していく勇気をもつことではないでしょうか。

執筆者略歴

滝澤　博胤（たきざわ　ひろつぐ）

1962年新潟県生まれ。1990年東北大学大学院工学研究科材料化学専攻博士後期課程修了（工学博士）。同年東北大学工学部助手、1994年テキサス大学オースティン校客員研究員、1995年東北大学工学部助教授を経て2004年東北大学大学院工学研究科教授。2015年工学研究科長・工学部長。2018年より東北大学理事・副学長（教育・学生支援担当）、高度教養教育・学生支援機構長、教養教育院長となり現在に至る。専門は無機材料科学、固体化学。主な著書に『マイクロ波化学：反応、プロセスと工学応用』（共著、三共出版、2013年）、『演習無機化学』（共著、東京化学同人、2005年）、『固体材料の科学』（共訳・東京化学同人、2015年）など。2011年日本セラミックス協会学術賞、2016年粉体粉末冶金協会研究進歩賞受賞。

野家　啓一（のえ　けいいち）

1949年宮城県生まれ。1971年東北大学理学部物理学科卒業。1976年東京大学大学院理学系研究科科学史・科学基礎論専攻博士課程中退。南山大学助手・講師（1976～1981）、プリンストン大学客員研究員（1979～1980）をへて1981年東北大学文学部助教授。同教授、同大学院文学研究科教授、同大学院文学研究科長・文学部長、同理事・副学長・附属図書館長などを歴任し2013年定年退職。同年4月より東北大学名誉教授・総長特命教授（2019年まで）。2020年より立命館大学客員教授、現在にいたる。専門は哲学・科学基礎論。主な著作に『言語行為の現象学』『無根拠からの出発』（以上勁草書房、1993年）、『物語の哲学』（岩波現代文庫、2005年）、『パラダイムとは何か』（講談社学術文庫、2008年）、『科学の解釈学』（講談社学術文庫、2013年）、『科学哲学への招待』（ちくま学芸文庫、2015年）、『歴史を哲学する』（岩波現代文庫、2016年）、『はざまの哲学』（青土社、2018年）など多数。1994年第20回「山崎賞」受賞。2019年第4回「西川徹郎文学館賞」受賞。日本学術会議・連携会員。

山谷　知行　（やまや　ともゆき）

1950年青森県青森市生まれ。1977年東北大学大学院農学研究科博士課程修了。専門は、植物分子生理学・農芸化学。1977年日本学術振興会奨励研究員、1978年カナダ国マクマスター大学博士研究員、1979年米国ミシガン州立大学博士研究員、1980年岡山大学農業生物研究所助手、1988年東北大学農学部助

教授、1992年同農学部教授、2010年同大学院農学研究科長・農学部長、2013年同総長補佐、同国際高等研究教育院長（併任）、2015年退職、東北大学特任教授、2017年同総長特命教授、2019年同退職。現在、東北大学学際高等研究教育院シニアメンター。主な著書は、朝倉植物生理学講座②「代謝」(2001)他、査読有り原著論文は約150報。主な受賞は、2015年日本農学賞・読売農学賞、2017年紫綬褒章。

今村　文彦（いまむら　ふみひこ）

1961年山梨県生まれ、東北大学大学院工学研究科博士後期課程修了．1989年工学博士（東北大学）．同大学院工学研究科附属災害制御研究センター助教授、アジア工科大学院助教授、京都大学防災研究所客員助教授、附属災害制御研究センター教授を経て、2014年より災害科学国際研究所教授．専門は津波工学・自然災害科学で、津波被害の軽減を目指し、津波予警報システムの開発や太平洋での防災対策等の研究を数多く実施．津波数値技術移転国際プロジェクトTIMEの代表．自然災害学会元会長、中央防災会議専門調査会委員、東日本大震災復興構想会議検討部会委員、宮城県総合計画審議会委員等．一般財団法人3.11伝承ロード推進機構代表理事．主な受賞は、NHK放送文化賞（平成26年)、文部科学大臣表彰（科学技術振興部門、平成27年および令和3年）防災功労者内閣総理大臣表彰（平成28年)、濱口梧陵国際賞受賞（令和2年)、『逆流する津波―河川津波のメカニズム・脅威と防災』(単著、成山堂書店、2020)

水野　健作（みずの　けんさく）

1952年大阪府生まれ。1979年大阪大学理学研究科博士課程中途退学。同年宮崎医科大学助手。1983年理学博士。1989年カリフォルニア大学博士研究員、1990年九州大学理学部助教授を経て、1999年東北大学理学研究科教授、2001年同生命科学研究科教授。2009年～2011年生命科学研究科長。2018年定年退職し、東北大学名誉教授、教養教育院総長特命教授となり現在に至る。専門は分子細胞生物学。主な著作として、『新生化学実験講座　第1巻　タンパク質VI』(共著、東京化学同人、1992)、『Comprehensive Endocrinology』(共著、Raben Press、1994)、『最新内科学体系　第2巻　科学としての内科学』(共著、中山書店、1996)、『細胞骨格と細胞運動』(共著、スプリンガーフェアラーク東京、2002）など。1995年日経BP技術賞大賞受賞。

押谷　仁（おしたに　ひとし）
1959年大阪府生まれ。1987年東北大学医学部卒業。1991年から1994年までJICA専門家としてザンビアでウイルス学の指導。1995年医学博士。1997年テキサス大学公衆衛生大学院修士課程修了。1998年新潟大学医学部公衆衛生学助手。1999年から2005年まで世界保健機関（WHO）西太平洋事務局勤務。2005年より東北大学大学院医学系研究科教授。専門はウイルス学・感染症疫学。フィリピン、モンゴル、ザンビアなどで感染症研究を行うとともに、国の新型コロナウイルス専門家会議・分科会などの委員を務める。2019年日本熱帯医学会賞受賞。

大隅　典子（おおすみ　のりこ）
1960年神奈川県生まれ。東京医科歯科大学歯学部卒、歯学博士。同大学歯学部助手、国立精神・神経センター神経研究所室長を経て、1998年より東北大学大学院医学系研究科教授。2006年より同大学総長特別補佐、2008年にディスティングイッシュトプロフェッサーの称号授与。2018年より東北大学副学長(広報・ダイバーシティ担当)、附属図書館長を拝命。「ナイスステップな研究者2006」「令和4年度科学技術分野の文部科学大臣表彰　理解増進部門」受賞。専門分野は発生生物学、分子神経科学、神経発生学。本稿に関わる著書として『理系女性の人生設計ガイド 自分を生かす仕事と生き方』(共著、講談社ブルーバックス)、『理系女性のライフプラン』（メディカル・サイエンス・インターナショナル)、訳書として『なぜ理系に進む女性は少ないのか』（西村書店）など。

芳賀　満（はが　みつる）
1961年東京都生まれ、1989年東京大学大学院人文科学研究科美術史学修士課程修了、博士（文学）(東京大学)。イタリア政府給費留学生、パヴィア大学文学部考古学学科客員研究員、マクシミリアネウム財団給費留学生、ミュンヘン大学文学部西洋古典学科客員研究員、京都造形芸術大学歴史遺産学科文化財保存修復コース准教授、同教授を経て東北大学高度教養教育・学生支援機構教授、同大学総長補佐（共同参画）となり現在に至る。専門はユーラシア大陸考古学及び高等教育論。主な美術関係著田に『古代ギリシア建築におけるコリントス式オーダーの研究』(2002年)、『イクリアの世界文化遺産を歩く』(共著、2013年)、『西洋美術の歴史1古代』(共著、2017年）他。ウズベキスタン共和国学術アカデミー考古学賞受賞。

尾崎　彰宏（おざき　あきひろ）

1955年福井県生まれ。1979年東北大学文学部卒業、1983年東北大学大学院文学研究科博士課程後期退学。専門は、美学・西洋美術史。東北大学助手をへて、弘前大学講師、助教授、教授を経て、東北大学教授。現在、東北大学名誉教授、高度教養教育・学生支援機構教養教育院総長特命教授。主な著作に『レンブラント工房』（単著、講談社選書メチエ、1996年）、『レンブラントのコレクション』（単著、三元社、2003年）、『フェルメール』（単著、小学館、2006年）、『レンブラントとフェルメールの時代の女性たち』（単著、小学館、2008年）、『ゴッホが挑んだ「魂の描き方」』（単著、小学館ビジュアル新書、2013年）、『静物画のスペクタクル』（単著、三元社、2021年）などがある。

＊本書は、東北大学高度教養教育・学生支援機構の2022年度「研究成果出版経費」の助成を受けて出版されたものである。記して関係各位への感謝の意を表します。

装幀：大串幸子

東北大学教養教育院叢書「大学と教養」

第6巻　転換点を生きる

Artes Liberales et Universitas
6 Live the tipping point

2023年3月31日　初版第1刷発行

編　者　東北大学教養教育院
発行者　関内 隆
発行所　東北大学出版会
〒980-8577　仙台市青葉区片平2-1-1
Tel. 022-214-2777　Fax. 022-214-2778
https://www.tups.jp　E.mail info@tups.jp
印　刷　カガワ印刷株式会社
〒980-0821　仙台市青葉区春日町1-11
Tel. 022-262-5551

ISBN978-4-86163-384-3　C0000
定価はカバーに表示してあります。
乱丁、落丁はおとりかえします。